Educação e psicanálise

CB141843

PSICANÁLISE PASSO-A-PASSO

Direção: Marco Antonio Coutinho Jorge

Ver lista de títulos no final do volume

Rinaldo Voltolini

Educação e psicanálise

ZAHAR

Copyright © 2011 by Rinaldo Voltolini

Grafia atualizada segundo o Acordo Ortográfico da Língua Portuguesa de 1990, que entrou em vigor no Brasil em 2009.

Capa
Sérgio Campante

Composição
Letra e imagem

Revisão
Eduardo Farias
Eduardo Monteiro

Impressão sob demanda
UmLivro

Papel
Offset, Suzano S.A.

CIP-Brasil. Catalogação na fonte
Sindicato Nacional dos Editores de Livros, RJ

V899e Voltolini, Rinaldo
Educação e psicanálise / Rinaldo Voltolini. – 1ª ed. – Rio de Janeiro: Zahar, 2011.
(Paso-a-passo; 93)

Apêndice
Inclui bibliografia
ISBN 978-85-378-0711-8

1. Psicanálise e educação. 2. Crianças – Desenvolvimento. I. Título. II. Série.

11-2937 CDD: 370.15
CDU: 37.015.3

[2020]
Todos os direitos desta edição reservados à
EDITORA SCHWARCZ S.A.
Praça Floriano, 19, sala 3001 – Cinelândia
20031-050 – Rio de Janeiro – RJ
Telefone: (21) 3993-7510
www.companhiadasletras.com.br
www.blogdacompanhia.com.br
facebook.com/editorazahar
instagram.com/editorazahar
twitter.com/editorazahar

FSC
www.fsc.org
MISTO
Papel produzido a partir de fontes responsáveis
FSC® C128038

A marca FSC® é a garantia de que a madeira utilizada na fabricação do papel deste livro provém de florestas que foram gerenciadas de maneira ambientalmente correta, socialmente justa e economicamente viável, além de outras fontes de origem controlada.

Para Afra e Bruno.
Nela, eu descanso; nele, eu sonho.
Aos amigos Cristina Kupfer e
Leandro de Lajonquière,
pelo longo trabalho conjunto;
e ao caro William,
que quis muito este livro.

Sumário

Introdução

Que relação a psicanálise pode manter com a educação? Questão inaugurada por Freud como o primeiro exercício de um projeto de extensão da psicanálise a outros campos do conhecimento, obteve de seu fundador, no entanto, um tratamento discreto, ainda que entusiasmado.

Para ilustrar tal paradoxo, vale destacar um contraste interessante: de um lado, o fato de não haver na obra freudiana nenhum texto que trate exclusivamente de educação; de outro, sua recorrência, como tema, nas reflexões de Freud até suas últimas produções teóricas. Esse paradoxal legado deixou aos herdeiros de sua obra a tarefa de continuar a fazer trabalhar sua fecundidade.

Tratando de questões como os impasses dos pais no esclarecimento sexual das crianças, o peso de uma educação moralizante, excessivamente repressora, e seu impacto sobre o aumento do adoecimento neurótico da população, além do tortuoso caminho percorrido pela cria humana nos interstícios de sua sexualidade para tornar-se homem, Freud adentrou modestamente, mas de maneira singular, o campo da educação. Esse modo de abordar a educação faz com que a psicanálise, desde o início, habite marginalmente o campo dos interesses e das reflexões pedagógicas.

Nos dias de hoje, geralmente não é senão pelo papel que a psicologia (ciência da qual se pensa ser a psicanálise um capítulo) tomou na discussão das propostas pedagógicas que alguns conceitos da psicanálise são lembrados e esta é convocada a participar, já pasteurizada e deslocada de seu ângulo próprio, do debate sobre a educação.

Mesmo aí sua atuação é considerada periférica, uma vez que as propostas que se pensam poder dela derivar não instruiriam, acredita-se, as preocupações centrais do ideal pedagógico. Tal cartografia da reflexão pedagógica só sustenta a marginalidade da psicanálise em relação às questões educativas, escondendo o essencial: não existe uma pedagogia psicanalítica porque, ao contrário, *a posição da psicanálise no campo educativo é a de desmontar a pedagogia enquanto discurso mestre e exclusivo sobre a educação.*

É tomando a pedagogia *pelo avesso*, quer dizer, o *outro* lado do *mesmo* pano (para utilizar uma expressão de Jacques Lacan desenvolvida em *O Seminário*, livro 17, *O avesso da psicanálise*), que a psicanálise parece encontrar sua posição mais elaborada nesse campo, o que de modo algum equivale a ser contra a pedagogia.

Essa *démarche* psicanalítica, cujas linhas de força já estavam definidas pelo percurso de Freud na questão da educação, não discute a *boa relação* pedagógica entre o mestre e o discípulo, ou as bases de uma metodologia adequada ao ensino. Ela nos fala, antes, sobre a precariedade inevitável de todo ato educativo, sobre a ignorância particular e insuperável, embora não incontornável, de todo adulto em relação à criança e sobre o campo amoroso que se instala entre o educador e o educando, permeando essa relação com uma atmosfera particular, decisiva quanto ao destino da aprendizagem. Fala também sobre o incerto caminho do sujeito ao longo de sua educação e dos múltiplos riscos de naufrágio nessa viagem.

Todo esforço de Freud nesse campo pode ser compreendido como sendo o de substituir a pretensão pedagógica de um *ideal educativo* (qual o melhor modo de educar?) por uma discussão sobre *as condições de possibilidade* de qualquer educação (o que é necessário acontecer para que haja uma educação?).

Desde Jean-Jacques Rousseau, considerado o pai da pedagogia moderna, a reflexão sobre a educação é lastreada pelo interesse de pensar *o melhor modo para conduzir a criança* a bom termo. Tal programa afasta, obrigatoriamente, o exame do fato educativo em si, deslocando a discussão para as figuras da boa forma.

Mesmo Freud, no princípio, não escapou dessa perspectiva de pesquisa, por isso analisar seu itinerário nos será fundamental. Foi crucial, nesse particular, Freud ter assinalado, por meio de experiências práticas – como a educação dada a Hans, de cinco anos, a primeira criança na história da psicanálise a se tornar paciente –, somadas às reflexões teóricas em tempos de avanço constante, que uma certa direção pedagógica que chegou a conceber a partir da psicanálise era *impossível*. Não porque precisasse corrigir algo em suas conjecturas originais, mas porque era enganoso o pressuposto de que existe *uma só* direção pedagógica, qualquer que seja, que conduza a criança a bom termo.

Foi necessário reconhecer que a presença do inconsciente introduz entre educador e educando um controle *impossível* sobre qualquer cartilha de bons procedimentos educacionais, pondo em xeque a ficção do *contrato* entre eles na direção de melhores resultados.

Sem compreender essa torção que a psicanálise dá à questão da equação *pedagogia-educação*, fica difícil entender com justeza a relação que a psicanálise estabelece com a educação. Com relação a esta última, outra observação é necessária. O estatuto do tema da educação no interior do discurso psicanalítico não pode ser bem entendido sem se levar em conta o deslocamento do termo "educação" para o termo "educar", promovido por Freud.

O educar vai ter um papel importante na definição da especificidade do analisar. Lembremos de saída – e isso será objeto de uma reflexão pormenorizada ao longo deste livro – que, por muito tempo, o próprio objetivo da análise ficou definido como *pós-educativo*. Será só em 1925, no momento em que Freud retoma o célebre aforismo "Há muito adotei o dito espirituoso dos três ofícios impossíveis, isto é, educar, curar e governar", que se poderá observar o ápice de um longo percurso do psicanalista para definir a especificidade de seu ato, sem precisar mais apoiá-lo em algo que, atualmente, já se distingue bem: o educar.

É como posição discursiva e não mais como um campo outro de conhecimento sobre o qual se deveria aplicar a psicanálise que a educação encontra sua elaboração maior na teoria analítica. Já de posse dessa distinção, Lacan lembrará, a seu modo, em "A direção do tratamento e os princípios de seu poder", o risco de o analista deslizar de sua função para a de educador, ao pretender que, no fim de uma análise, o analisando se identifique com o analista, sendo dele *sua imagem e semelhança*. Educar e psicanalisar aparecem, aqui, flagrados no ponto exato em que se pode observar, ao mesmo tempo, suas fronteiras e suas *pequenas diferenças*.

O que o leitor encontrará nas páginas que se seguem obedece a esse duplo eixo de investigação. Ao primeiro denominaremos psicanálise e educação; ao segundo, psicanalisar e educar.

Uma educação virtuosa: a impotência de um modelo educativo

É com um interesse médico, o da profilaxia das neuroses, que Freud chega até o tema da educação. No artigo "Moral sexual 'civilizada' e doença nervosa moderna", ele amplia um debate de seu tempo acerca dos malefícios da civilização à saúde dos indivíduos, realizando uma crítica à moral excessiva com a qual, sistematicamente, se tratava a questão do sexo.

Nessa época, sua compreensão sobre a etiologia das neuroses incluía uma distinção nosográfica que, mais tarde, com as torções que sua teoria sofreria, perderia muito de sua força, a saber: a distinção entre neuroses atuais e psiconeuroses de defesa.

No primeiro caso, tratar-se-ia de causas conjunturais, concretas e impeditivas, derivando daí uma abstinência ou uma precariedade da vida sexual. É nesse ponto que Freud se refere às exigências do malthusianismo, ideologia que apontava para as contradições entre a sociedade e a sexualidade, indicando como saída, por exemplo, o controle populacional e os sacrifícios decorrentes disso para a vida sexual dos indivíduos. Lembremos que se vivia um tempo em que o único meio de contracepção existente era o *coitus interruptus*, verdadeiro fantasma da época várias vezes mencionado por Freud em sua obra. Nesse particular, poder-se-ia esperar uma resposta científica que, de fato, não tardou a vir, através da descoberta de métodos mais eficazes de contracepção.

O problema maior parecia residir no segundo grupo de neuroses isolado nosograficamente por Freud, as psiconeuroses de defesa, assim chamadas, descritivamente, devido à função do mecanismo que as organiza: a de defesa psíquica. Nesses casos, o desencadeamento da neurose se deveria a uma defesa do sujeito contra uma representação psíquica de natureza sexual, considerada por ele próprio incompatível com seus preceitos morais. A impossibilidade de integração dessa representação faz com que esta sucumba ao recalque, permanecendo ativa no plano inconsciente através de uma solução de compromisso com o mesmo agente que a recalcou, sendo esse compromisso o que se expressa sob a forma de sintoma.

É nesse contexto que Freud toma como alvo a moral sexual civilizada e a educação que a veicula, entendidas, então, dadas as suas severas exigências de um comportamento ilibado, como as portadoras do potencial de adoecimento, uma vez que exigem do sujeito esforços irrealizáveis e sacrifícios excessivamente pesados.

Não se trata mais, nesse caso, de abstinência sexual, e sim de recalque das representações sexuais. A proibição atinge não mais o nível do ato, controlável de todo modo, mas do pensamento, incontrolável, enfim, em sua emergência. Se o coito pode ser, ainda que com prejuízos, interrompido, o pensamento não, sendo o recalque, enquanto indicativo da permanência ativa do pensamento suprimido, sua prova.

A tentativa inglória de proibir certos pensamentos privilegiando outros, mais compatíveis com uma moral ideal, pode ter sido a primeira figura do impossível em jogo na educação, mas não é por essa via – que só se abriria conceitualmente para Freud tempos depois – que ele prossegue em sua argumentação.

Em vez de concluir pela inevitabilidade do recalque, Freud optará por enveredar pela denúncia da impotência de uma educação repressiva na consecução de seus fins. Nesse início, como já destacamos, sua argumentação é perfeitamente adequada às coordenadas do discurso pedagógico, seja quando estabelece uma direção ideal a ser seguida, seja quando faz a crítica dos erros de uma direção anterior.

Freud participa como pedagogo, embora não o fosse por formação, das divagações sobre um mundo melhor e aposta na educação como instrumento para mudança. É demonstrando a *impotência* de uma proposta e não seu *impossível* que ele prossegue, e assim fazendo mantém a ideia de uma educação ideal possível, ainda que esta dependa de muitas transformações para atingir o nível desejado.

Fazendo uma análise do malthusianismo, Freud adverte sobre uma desproporção, um excesso, que essa política desencadearia ao buscar atingir seus fins. Preocupada em evitar o desequilíbrio econômico por meio do controle populacional, ela solicitaria dos jovens, por exemplo, que retardassem o início de sua vida sexual, reivindicando, para tanto, os préstimos da educação para incutir-lhes a paciência necessária. Oprimindo-os com a ideia de uma sexualidade suja, imoral, tal ideologia aumentaria a eficiência desse controle, punindo-lhes até mesmo no nível do pensamento, ou seja, *cortando o mal pela raiz.*

Mas o preço pago para conseguir tal resultado, pergunta-se Freud ainda em "Moral sexual 'civilizada' e doença nervosa moderna", não é mais dispendioso quanto a seus fins, ou mesmo contraditório, do que o ganho obtido com esse procedimento? Mais dispendioso porque a condenação do pensamento não pode ser seletiva, implicando, também, como efeito colateral, sua precarização geral. Não é possível inibir o pensamento apenas no tema sexo sem desorientá-lo por completo em relação a qualquer outro assunto – o sujeito *bem-pensante* seria, aqui, aquele que não pode pensar. E contraditório quanto a seus fins porque a condenação dos pensamentos de natureza sexual, ao levar à instalação da neurose, pode trazer problemas de outra ordem para a própria procriação. Uma vez neuróticos, dadas algumas dificuldades características dessa condição, tais como impotência, frigidez etc., esses indivíduos não estariam então menos aptos à reprodução?

Como de hábito, diante do diagnóstico estabelecido, surge a indicação do remédio, que, no caso do discurso pedagógico, parece tratar-se sempre de um reformismo, por regra utópico, de princípios e recursos. Freud, de sua parte, não se abstém de alimentá-lo com suas sugestões.

Tratar-se-ia de atenuar a rigidez da moral civilizada, dando-lhe contornos mais liberais, mas sobretudo de substituir a força opressora, esteio favorecedor do recalque e da estupidificação, por uma ética fundada na verdade que, destaca Freud, é muito mais rentável em termos de economia psíquica do que aquela oferecida pela neurose, chamada por ele de "política de avestruz" em *A interpretação dos sonhos*.

A defesa que Freud faz da verdade não é moral; nem se trata, para ele, de um princípio apriorístico de programa de trabalho. Freud visa, simplesmente, às vantagens econômicas que a verdade representa em comparação com a política da mentira estabelecida pela neurose.

Alguns anos antes de *A interpretação dos sonhos*, no "Projeto de uma psicologia científica", ele já assinalara a desvantagem do mentir a si mesmo quando apontou o *proton pseudos* – a primeira mentira da histérica –, mostrando que a mentira é um recurso para o sujeito conseguir lidar com o conflito, e que essa solução selará seu compromisso com o sintoma neurótico.

Dentro dos termos dessa reforma educacional, Freud faz incursões significativas, em particular abordando o tema sempre espinhoso da educação sexual das crianças. Pelo menos em dois de seus artigos, "O esclarecimento sexual das crianças" e "Sobre as teorias sexuais das crianças", a educação sexual é tomada em análise e o assunto é desenvolvido em seus eixos fundamentais.

Os problemas levantados nesses artigos são bastante conhecidos nos dias de hoje pelo público em geral, uma vez que foram incorporados, após várias reformas educacionais, pelo discurso pedagógico, que, a pretexto de tornar-se mais democrático, incluiu o tema da educação sexual no currículo escolar. Questões como constrangimento dos educadores para tratar do assunto, suas dúvidas quanto à pertinência e a justa medida desse diálogo, bem como os encaminhamentos derivados da reflexão sobre eles, pertencem hoje ao currículo formativo de qualquer educador.

De certo modo, cumpre ressaltar, a educação sonhada por Freud se tornou realidade, mas sem que com ela chegasse a imaginada diminuição do adoecimento neurótico. Entre pais e filhos já é possível, em comparação com a época vitoriana em que Freud viveu, maior amplitude no diálogo sobre a sexualidade. Quase nenhum pai, em que pesem suas dificuldades neuróticas particulares que condicionam e limitam sua habilidade para abordar o assunto, defende a ideia de um silenciamento diante das questões sobre sexo apresentadas pelo pequeno curioso.

Os jovens já podem, também, bem mais cedo do que antes, iniciar sua vida sexual sem serem extremamente incomodados e sem que, em contrapartida, tenham que optar pela estabilidade que o casamento representaria.

Os meios de contracepção, proporcionados pelo avanço da ciência e das possibilidades da indústria, liberaram o homem da inevitabilidade da equação relação sexual = procriação, permitindo um exercício supostamente mais livre da prática sexual e uma resposta mais concreta aos riscos apontados pelo malthusianismo.

Alguns estudiosos de Freud costumam considerar superado o seu artigo "Moral sexual 'civilizada' e doença nervosa moderna", já que muitas das concepções que o sustentam foram, depois, com os avanços teóricos, tornadas obsoletas. Mas, para além da ideia de superação conceitual, que, aliás, sob certos aspectos, é contestável, há outra razão para que seja considerado obsoleto. Essa razão é de ordem ética, da ética que é própria da psicanálise e que implica não construir, nem sustentar, uma *visão de mundo*. Com suas reflexões e críticas à educação da época, Freud participa, querendo ou não, de uma visão de mundo. Ao aderir aos termos dessa visão de mundo, que, como toda visão de mundo, é datada e morre em prol de outra que se instala sob o signo de sua crítica, as bases desse artigo sucumbiram.

Anos mais tarde, na conferência "A questão de uma *Weltanschauung*", Freud esclareceria o problema da visão de mundo, dissociando a psicanálise desse vício. A razão para essa dissociação não é, no fundo, difícil de compreender. Toda visão de mundo, por ser imaginária, expressa uma *síntese*, enquanto o procedimento psicanalítico, como sugerido no próprio nome, é fundado no polo antinômico da síntese, ou seja, no da *análise.*

O essencial a reter desse ensaio de Freud não é seu conteúdo, mas o procedimento que revela. Nele já se encontram, mais em ato do que na formulação, as coordenadas que levarão Freud a um giro discursivo fundamental que lhe renderia outra posição de interrogação do discurso pedagógico, giro que poderíamos resumir como sendo o da constatação da impotência de um discurso à percepção de sua impossibilidade.

É no procedimento de Freud que podemos encontrar a marca do analítico, mais do que em seus conselhos e indicações, os quais, aliás, não se diferenciam, no geral, daquilo a que se poderia chegar pelo bom senso, sem nenhuma contribuição específica do conceitual da psicanálise. Em seu procedimento, vemos que ele não se restringe a apontar o comportamento inadequado do educador e, consequentemente, aquele que lhe seria ideal; ele busca *analisar* o que o motiva e o engendra.

Por que os pais se complicam diante do interesse e da curiosidade de seus filhos sobre as questões sexuais? O que se passa com as crianças durante suas investigações sexuais? Como se vê, nesse gênero de questão está mais em jogo um interesse sobre como as coisas *são* do que como elas *deveriam ser.* A criança começa a fazer perguntas sobre sexo quando o caminho de sua constituição a faz desembocar numa interrogação sobre sua origem.

Em termos simples, poderíamos dizer que é por ter tomado consciência de que não existia desde sempre (as crianças perguntam atônitas, com frequência, por exemplo, ao observarem as fotos do casamento dos pais: "onde eu estava?"), de que sua chegada neste mundo dependeu do desejo de um outro, que a criança endereça seus porquês aos adultos, em particular os pais, que são *supostos saber* a resposta.

A pergunta da criança não é, portanto, desinteressada nem abstrata, tampouco se endereça a um interlocutor imparcial que poderia responder sem se implicar direta e pessoalmente com a resposta. Ela traveste uma intenção, mais fundamental que a expressa, que é a de saber sobre como ela, a criança, é levada em conta no desejo do outro. Um exemplo é o interesse das crianças, assim que se inicia a curiosidade sexual, pela barriga das mulheres grávidas, o que se deve a uma intenção prática de tentar evitar a presença de um concorrente indesejado. Por outro lado, os pais, visados pela pergunta, se embaraçam com a resposta, expostos em sua sexualidade e tomados por uma ambiguidade em relação a como interpretar o interesse infantil.

Freud assinala bem essa ambiguidade tanto na conferência "Explicações, aplicações e orientações" como em "O esclarecimento sexual das crianças", notando que, por um lado, os pais hesitam em abordar o assunto perto da criança por considerá-la imatura para isso, preferindo frases evasivas que adiam a conversa para uma época supostamente mais adequada, ou transferindo o encargo para outra pessoa. Por outro lado, os mesmos pais evitam falar de sexo na frente das crianças, demonstrando, com isso, acreditar, em algum nível, que existe uma especial sensibilidade delas para captar algo nesse campo.

Com efeito, se imagino que alguém nada entende da língua grega, por exemplo, posso falar em grego, sem restrições, na sua frente, exceto se temo que essa conduta possa indicar, para este outro, a intenção de omissão de alguma informação. Assim, diante das respostas evasivas ou fabulosas, como a história da cegonha, a criança, longe de abandonar seu interesse e sua investigação, seguindo o desejo do adulto e seu julgamento sobre sua imaturidade, terminaria por *aprender* que há assuntos inconvenientes sobre os quais o mais prudente é se calar. Em suma, ela aprende a ideia do *politicamente correto.*

A confiança nas condições dos pais para lidar com as questões sexuais apresentadas pelas crianças sofreria ainda, aos olhos de Freud, um importante abalo desde as tentativas levadas a cabo pelos pais do pequeno Hans – amigos e discípulos entusiastas de Freud –, que decidiram educar o menino segundo a franqueza recomendada pela teorização da época.

Freud irá observar nas "Cinco lições de psicanálise" que, em certos momentos, apareceria neles (quando, por exemplo, ameaçam Hans de castração, proibindo-o de se masturbar), apesar de insuspeitos quanto ao esclarecimento teórico, os mesmos traços de uma compulsão ao controle injustificado da criança, característico de toda educação, e que só se explicaria pelas necessidades da economia inconsciente dos pais.

Ao invés de indicar aos pais um comportamento ideal, supondo assim que eles teriam plenas condições de desempenhá-lo, bastando que se esforçassem, Freud prefere sugerir, ainda que seja apenas um paliativo para o problema, que essa educação sexual fique a cargo de outros adultos confiáveis, professores, por exemplo, que não estariam diretamente implicados com a resposta a dar à criança, podendo lidar com tal resposta com menos restrições.

A dinâmica entre pais e filhos, quando entra em jogo o assunto da sexualidade, é assim interpretada por Freud, que, ao revelar o peso particular do inconsciente na cena educativa, da eficácia do *não dito*, dá um passo absolutamente decisivo quanto à posição que a psicanálise passaria em breve a ocupar em relação ao discurso pedagógico.

Mas, ao apontar a imperícia dos pais na orientação sexual dos filhos, Freud não imagina poder corrigi-la instruindo melhor os pais através dos dados revelados pela psicanálise. Ele começa a pensar, nesse particular, que o conhecimento da teoria psicanalítica não poderia ter um papel muito decisivo no trabalho do educador; não, pelo menos, comparável àquele que poderia ter sua análise pessoal, procedimento que, aliás, ele recomenda a todos os educadores em "Prefácio a *Juventude desorientada*", texto que abre o livro do educador alemão August Aichhorn – recomendação que já havia feito aos analistas como uma exigência de sua formação.

Só na análise pessoal esse educador poderia atingir aquilo que o *ultrapassa* em suas melhores intenções conscientes, que afeta diretamente a criança e sua capacidade para aprender e está além de suas possibilidades de mestria. A defesa do *esclarecimento* sexual das crianças permanecerá presente na obra de Freud até o final, embora ele pareça perder a convicção de que essa atitude pode ser decisiva e eficiente na profilaxia da neurose. Seja porque os pais não podem estar à altura da tarefa exigida, seja porque a criança não é essencialmente permeável aos esclarecimentos dos adultos, mesmo quando pertinentes, persistindo nos termos levantados pelas próprias teorizações.

Nesse ponto, em "Análise terminável e interminável", Freud admitirá ter superestimado o papel da educação sexual. Com uma interessante analogia dirá: "As crianças se comportam como os primitivos aos quais foi inculcado o cristianismo, que continuam adorando seus antigos ídolos às escondidas." O problema que a tese do inconsciente obriga, em geral, a admitir é quanto ao poder do esclarecimento. Podemos pensar em nos guiar sempre por ideias claras e distintas?

Assim, Freud começa a se deparar com uma das várias faces do impossível.

As faces do impossível

A célebre afirmação de Freud sobre os ofícios impossíveis, entre os quais incluiu o curar, ao lado do educar e do governar, foi pronunciada, como já dito, sob a forma de aforismo: "Há muito adotei o dito espirituoso dos três ofícios impossíveis, isto é, educar, curar e governar." Como tal, representa o ponto culminante, expresso de modo condensado e enigmático, de um longo percurso de discussão composto de vários fios provindos de múltiplas direções de investigação teórica que, num dado momento, exigiram uma formulação econômica para que fossem articulados. Por conta dessa característica, esse aforismo se presta facilmente a confusões e projeções de toda ordem que acabam por lhe atribuir sentidos que não comporta.

Sobre o impossível no educar: não é raro que a expressão seja tomada como confirmação das dificuldades particulares de uma educação específica qualquer, como as mazelas da escola pública e o desinteresse do Estado em educar os cidadãos, apenas para evocar seu exemplo mais frequente no discurso pedagógico. Tais abordagens só fazem retomar a dimensão da *impotência* desse discurso, elidindo a dimensão do *impossível*.

Compreender a espessura desse aforismo exige um exame detalhado dos vários fios de investigação teórica que conduziram à sua formulação. De saída, adiantemos que a impossibilidade em questão não alude ao plano prático de execução de uma determinada proposta educativa, sendo de caráter lógico, já que implica uma tentativa de superpor dois níveis que não podem ser superpostos. "Impossível" não quer dizer "inexequível", apontando, antes, para um *inalcançável* estrutural.

Para ilustrar esse gênero de impossibilidade poderíamos evocar o paradoxo do filósofo pré-socrático Zenão sobre Aquiles e a tartaruga. Diante de uma injunção lógica a que foi submetido, Aquiles, o mais veloz de todos os guerreiros, jamais poderia alcançar e ultrapassar em uma corrida a tartaruga – sua oponente e, afinal, vencedora –, à qual foi dada uma pequena vantagem de saída. Quando ele atingisse um ponto pelo qual a tartaruga já tivesse passado, ela já teria se deslocado de novo, ainda que apenas um pouco, dada a sua lentidão característica, e assim sucessivamente, de modo que a diferença espacial entre eles seria infinitamente divisível.

Tal paradoxo, aparentemente banal e anódino, constitui, na verdade, um problema lógico do mais alto grau. Se a distância entre eles fosse de vinte metros, por exemplo, quando Aquiles chegasse aos primeiros vinte metros, a tartaruga já teria andado pelo menos alguns centímetros, de modo que, se seguíssemos dividindo a distância restante, o fim nunca chegaria, porque zero, afinal, não é metade de número nenhum.

No plano prático, físico, a distância seria certamente atingível e Aquiles alcançaria e ultrapassaria a tartaruga, vencendo o desafio. Mas o plano de sua formulação cria uma impossibilidade. É a superposição de duas dimensões, a do simbólico, representada aqui pela linguagem matemática, e a do real, indicada pela distância física, que é impossível.

No plano dos três ofícios, alinhados como impossíveis no aforismo, seria a particular vocação que eles têm para lidar com esse gênero de inadequação entre as formulações que estabelecem e o campo sobre o qual as articulam que os faria sobressair como impossíveis em relação a outros ofícios. O analisando curado de seu inconsciente, uma sociedade com suas mazelas dissipadas e seus cidadãos em perfeito acordo, ou a concretização da criança sonhada a partir de um ideal educativo qualquer não seriam injunções cuja lógica instalada remeteria às tentativas de execução ao *infinitamente inalcançável*? Tal como ocorre ao jumento, na imagem criada pela filosofia, que corre atrás da cenoura presa na ponta de uma vara amarrada em sua cabeça, um objetivo pode ser formulado de uma tal maneira que sua concretização se torne impossível.

Todo aquele que se aventurar no campo educativo (haverá alguém que possa escapar dele?) terá que se confrontar, mais cedo ou mais tarde, com a decepção. Os resultados atingidos estarão sempre aquém daqueles imaginados no ponto de partida. Entre os fins vaticinados e os meios postos em prática para a sua execução, quaisquer que sejam eles, haveria uma impossibilidade lógica. É isso o que esse aforismo pretende sustentar.

A frase original que inspirou o aforismo freudiano é de Kant, expressa na *Crítica da razão pura*. Freud apenas adicionou o "curar" ao "governar" e "educar", já destacados por Kant. Mas por qual razão deveríamos aceitar tal impossibilidade lógica? Não haverá um meio de formularmos uma proposta educativa de tal modo que em seus pressupostos haja uma possível e realizável articulação?

Acompanhar, no caso da educação, as várias faces pelas quais a psicanálise consubstancia esse aforismo sobre o impossível nos será, certamente, de grande proveito.

A impossível mestria

Todo discurso pedagógico que se preze, não importa seu matiz ideológico, por ser tentativa de organização de uma ação consequente, visa à mestria. Ou seja, busca aparelhar-se de tal modo que possa maximizar o efeito de sua influência sobre a criança na direção desejada. Historicamente, a filosofia, no passado, e a ciência, sua aliada de hoje, constituem a base para a organização desse aparelhamento a fim de que se possa agenciar uma ação controlada sobre a criança e sua aprendizagem.

Destacamos, anteriormente, como Freud foi perdendo a convicção nessa possibilidade de mestria à medida que foi dimensionando o impacto do ultrapassamento inconsciente na cena educativa. Quer dizer, ainda que o educador esteja imbuído de intenções e planejamentos claros e distintos, ainda que se trate, como se costuma dizer, de um educador *consciente* (para marcar com destaque o engodo de se subtrair a dimensão inconsciente), não pode controlar plenamente o impacto de sua influência sobre a criança.

As crianças ocupam uma posição de objeto para seus pais, pois sua vinda ao mundo dependeu de uma equação estabelecida no desejo deles. Na espécie humana a reprodução não é automática, resultado direto de algum instinto de reprodução, mas objeto de um complexo processo que implica o campo desejante. Ainda que não desejassem (lembremos que, para a psicanálise, desejo não é sinônimo de vontade) o filho naquele instante, ou porque eram jovens demais, ou porque não tinham as condições necessárias para seu sustento, a decisão de tê-lo implicou uma equação desejante dos pais. O ser humano é o único animal livre para escolher não se reproduzir. Essa condição de partida faz com que cada criança tenha, inevitavelmente, que se deparar com as fantasias parentais a partir das quais foi concebida.

A conhecida assertiva freudiana de que uma mulher se torna mãe para restituir a falta de algo que a completaria (o falo), e também sua versão masculina, em geral menos comentada, segundo a qual um homem se torna pai para tentar evitar a finitude, imortalizando-se num filho (para não perder o falo), são maneiras de indicar o estrutural dessas fantasias parentais que constrangerão a criança na direção de um desejo que a precedeu. Evidentemente essas fantasias se particularizam em cada homem e cada mulher que se tornam pais, ganhando contornos próprios em uma cadeia significante estabelecida no decorrer de cada história.

O ponto de partida de tais fantasias, míticas, como toda fantasia em sua origem, reside na relação dos pais com os próprios pais, de tal modo que na educação de um filho, como destaca Freud na conferência "Explicações, aplicações e orientações", é estabelecida uma certa concorrência com a educação recebida pelos próprios pais. Seja como revanche: não vou obrigar meu filho a comer o que ele não quer, como minha mãe me obrigava; seja como veneração: vou dedicar a meus filhos a mesma atenção que meus pais sempre me deram.

No texto "Sobre o narcisismo: Uma introdução", Freud adverte sobre os riscos desse engolfamento da criança no emaranhado das necessidades narcísicas dos pais. Se grandes demais, podem levar a uma intolerância quanto ao fato de que as crianças sejam elas mesmas e sigam o próprio caminho.

Ele menciona a expressão "*his majesty the baby*", inspirada em obra homônima do pintor inglês Arthur Drummond, para indicar o paradoxo em que é posta a criança, paradoxo que é, no fundo, o mesmo de toda majestade: ao mesmo tempo em que é adorada e servida, já que incorpora um ideal, sofre uma restrição violenta de sua liberdade, visto que não pode se comportar fora do protocolo adequado a toda figura real. A existência de um rei está condicionada e constrangida pela adoração de seu povo.

O conceito de *ideal do eu* é fundamental para compreender essa passagem. Concebido em referência ao ideal parental sobre a criança, servirá como baliza para acompanhar o desenvolvimento do eu da criança e como fator de mensuração de seu comportamento.

Aqui se opera uma importante torção na teoria freudiana, com consequências imediatas sobre a visão do educador elaborada anteriormente por Freud. Se antes a influência do educador era abordada sobretudo a partir de seu potencial opressor, que se daria pela excessiva repressão moral sobre a criança, agora essa influência passa a ser abordada a partir de sua função de *modelo*. Isso significa que não é apenas reprimindo que o educador influi; ele influi, principalmente, como *indutor* de comportamento ideal.

Curiosa observação que põe por terra a alegação frequente de pais e educadores contemporâneos que, adeptos da crítica rasa e simplista à autoridade paterna feita pela linha da educação dita progressista, costumam dizer que não influenciam seus filhos e/ou alunos em suas escolhas para que eles possam fazê-las livremente. Segundo essas formulações freudianas, fica claro, no entanto, que é impossível não influenciar.

A ideia de sedução dos filhos pelos pais, abandonada por Freud em prol da teoria da fantasia, retorna aqui de maneira deslocada, restabelecendo um novo estatuto na teoria. De fato, não se trata mais de pensar em uma sedução factual, com algum ato incestuoso concreto, e sim de uma sedução cujo caráter incestuoso se passaria no nível do desejo dos pais, incidindo num convite ao filho para que esteja conforme o objeto com o qual eles gozam. De todo modo, trata-se de uma influência não controlável, ou seja, de uma impossível mestria.

Esse quadro é o mesmo que se estabelece na dupla professor-aluno, herdeira da primeira, a dupla pais-filhos. Os alunos também terão que se deparar com uma investidura de seus professores que se sustenta, em última instância, nas fantasias destes.

Alguém que escolheu ser professor (o mesmo vale para qualquer outra profissão) não chegou a essa decisão por acaso, mesmo se acredita ter feito sua opção sem muita reflexão, já que contam numa escolha profissional não só motivações conscientes, mas também fantasias inconscientes. Pesará, certamente, seja em sua decisão, seja no estilo que esse professor adotará em sua prática docente, a influência recebida dos vários professores que teve.

Com isso, pode ser que um aluno conte com a simpatia gratuita de um professor por representá-lo narcisicamente, lembrando-lhe o aluno que ele mesmo foi no passado; e outro conte com sua antipatia, por lembrar-lhe o irmão mais velho que só caçoava dele etc.

Em "Algumas reflexões sobre a psicologia do escolar", ao destacar essa aura transferencial com a qual os mestres são investidos, Freud ressalta que estes são mais decisivos no aprendizado dos alunos do que as disciplinas que ensinam. Não é raro, por exemplo, que um aluno escolha uma dada profissão, ou fuja dela, em função de um professor que teve ao longo da vida.

Interessante observação, também, para o discurso pedagógico contemporâneo, que, de regra, tende a esvaziar o espaço da subjetividade do professor, reservando-lhe um lugar abstrato de mediador entre o aluno e o objeto de conhecimento. Sabemos os múltiplos nomes reservados ao lugar do professor, que mudam conforme as teorias adotadas, sem variar, contudo, o seu nível de esvaziamento: intermediador, facilitador, instrumento da aprendizagem etc.

Em outro momento, no texto "Sobre a história do movimento psicanalítico", Freud dá um exemplo pessoal dessa influência fora de controle que um mestre pode ter sobre o aluno. Revendo a questão da autoria da descoberta do peso da sexualidade na etiologia das neuroses, diz acreditar tê-la *aprendido* de três mestres: Charcot, Breuer e

Chrobak. O ponto curioso é quando ele menciona que nenhum desses mestres estaria disposto a reconhecer o ensino dessa ideia, que, aliás, nem sequer admitiam como verdadeira. Como pode alguém ensinar algo que, a rigor, não sabe?

A resposta a essa questão é simples: graças à *transferência*, esse processo inconsciente que faz com que uma dada pessoa funcione, para nós, mais de acordo com uma suposição que temos dela do que a partir de seus atos ou inclinações reais (lembremos, de passagem, quanto Lacan ressaltou essa dimensão de suposição ao abordar a transferência como *sujeito suposto saber*).

Era a suposição transferencial de mestria atribuída por Freud a seus três mestres que o fazia creditar a eles a autoria de uma ideia que se processava nele, Freud. Atribuir simplesmente a autoria a si mesmo, uma vez que coube a ele trazê-la ao mundo, esconderia o essencial do que a psicanálise revela sobre a aprendizagem: que ela não se dá atrelada ao ensino, através do par ensino-aprendizagem, conforme todo discurso pedagógico tende a formular.

O processo de aprendizagem implica *a-prender*, ou apreender, como se diz com frequência, mas nem sempre compreendendo o que se quer dizer com isso. Apreender indica muito mais uma operação ativa, de ir lá e pegar algo no campo do Outro, do que receber passivamente algo do outro que me ensina. Não há dúvidas de que há ensino, ação deliberada de alguém que visa pôr *en-signos* alguma coisa, mas o que se aprende não está condicionado estritamente por isso.

O mais importante nessas observações é a constatação de que qualquer influência que alguém possa ter sobre outro depende de um campo que se estabelece entre ambos, unindo-os como personagens de um romance em que a dramática instalada por esse encontro, incontrolável quanto à sua determinação, é mais decisiva do que os esforços envidados conscientemente na condução de um trabalho.

No texto "A direção do tratamento e os princípios de seu poder", Lacan destacará que a transferência é a parte do tratamento em que o analista tem menos liberdade, já que ela condiciona, na raiz, qualquer coisa que ele diga à forma como o outro o ouve. Esse fato mostra claramente como a impossível mestria não resulta apenas do impossível controle do educador sobre o que ele ensina, mas, igualmente, da posição a partir da qual o educando toma essa presença.

Por um lado, o adulto influencia *sem saber*, o que nada tem a ver com *sem querer* – como reza uma certa vulgarização do conceito de inconsciente –, uma vez que o inconsciente supõe uma posição desejante pela qual o sujeito é plenamente responsável. Nenhum álibi, desde a ética fundada por Freud, pode ser sustentado na existência do inconsciente. Mas, por outro lado, a criança escolhe posicionando-se frente a essa influência.

De modo algum Freud via a criança como um fantoche dos pais, a *tela em branco* sobre a qual se pode escrever o que se deseja. "O que herdaste de teus pais, adquire-o para que possas possuir", diz Freud em *Totem e tabu*, citando Goethe, para marcar que qualquer coisa que recebo do outro exige minha participação, meu consentimento, para que seja ativada em mim.

Com essa formulação, Freud nega a ideia de recepção automática, seja aquela idealizada pela genética, cada vez mais dominante na contemporaneidade, seja aquela defendida por algumas teorias da educação, em geral behavioristas, que promulgam a existência de um organismo reflexamente sensível à estimulação de seu ambiente.

Resulta ilustrativo ressaltar quanto essas duas propostas, a genética e a behaviorista, acabam desembocando em estratégias ferozes de mestria, quer através da polêmica manipulação genética para fins eugênicos, quer pelo problema do controle do comportamento, colocado pela ciência behaviorista. É preciso, ao contrário – destaca a psicanálise –, que o sujeito se posicione em relação ao que recebe do outro.

De todo modo, o que Freud aborda em suas investigações sobre as culturas ditas primitivas, em estudo desenvolvido em *Totem e tabu*, é *a transmissão* de um legado negativo, negativo porque fundado num suposto assassinato do pai, do líder, pela horda primitiva que nunca foi realmente cometido (tal qual a ideia que Breuer, Charcot e Chrobak nunca tiveram), mas que, apesar disso, segue sendo transmitido geração após geração.

Freud cria aqui uma distinção nunca antes formulada cujo quilate só a psicanálise está em condições de acusar: transmitir *versus* ensinar. *En-signar* quer dizer "pôr em signos", o que exige uma intencionalidade consciente e deliberada na direção de passar uma certa significação. Já "transmitir" indica, feito um vírus que passamos adiante à nossa revelia, ausência de intenção consciente e, consequentemente, de qualquer possibilidade de mestria.

Assim sendo, a herança que deixamos, como educadores, através da educação ao outro, que se refere a nós transferencialmente, depende sempre de fatores que só parcialmente podemos controlar. E há outra parte que, ao contrário, nos controla, condicionando nossa palavra e sobre a qual pouco ou nada podemos fazer.

Toda pretensão de mestria educativa esbarra nesse fato de estrutura, suportado, como desenvolverá Lacan com densidade ao longo de toda a sua obra, na própria estrutura da linguagem. Em todo ato de fala há uma dupla emissão: aquela que tem a ver com o que queremos emitir e aquela que transmitimos à revelia de nossa vontade, mas que igualmente influi na comunicação com o outro e é ponto decisivo na questão educativa.

Lacan dirá que se trata aqui do simbólico, e nele fará repousar a leitura do assassinato do pai, para além da busca insana de sua prova histórica, que devemos considerar como sendo essa estrutura prévia, *a priori* de toda experiência, e que a condiciona.

Em suma, qualquer intenção de mestria é impossível simplesmente porque falamos, e em nossa fala estamos referidos sempre a uma outra cena que nos condicionou e condiciona, e que fala através de nós.

Entre Cila e Caribde

Educar é, fundamentalmente, uma prática decisória. O educador está a todo instante lidando com situações que implicam uma escolha em termos de direção e uma aposta na justeza de sua decisão. Para guiar-se, busca pautar-se pelas finalidades que estabeleceu para seu ato. Punir ou não punir um determinado comportamento, por exemplo. Se decido punir, convivo com o fantasma do risco de uma educação opressora que pode gerar sujeitos amedrontados; se decido não punir, posso conviver com outro fantasma, o da criança descontrolada, sem limites.

Exemplos como esses fazem o cotidiano de toda educação, que transcorre, nos melhores casos, sob o signo da dúvida, uma vez que a educação encontra seu fundamento na impossível conciliação de opostos que se agitam em seu interior, revelando sempre uma polarização. Essa tensão não aparece somente no nível prático, cotidiano. Todo livro teórico sobre a história da pedagogia revela, em suas páginas, uma trajetória marcada por tal polarização. Qualquer que seja a direção pedagógica, ela encontrará sempre sua justificação na crítica feita a uma outra direção em relação à qual se polariza. E os princípios agora sustentados por esta serão fatalmente contestados dali a vinte anos.

Nenhuma história é linear, em progresso, e sim pendular, já que retorna a concepções antigas, aparentemente superadas, para se opor às ditas modernas. Se Freud, ao lado de outros, defendeu inicialmente uma educação menos limitadora, hoje nos vemos defendendo uma educação que imponha limites.

Esse gênero de tensionamento reflete, na verdade, a mesma tensão flagrada pela psicanálise no conflito entre as gerações, mencionado páginas atrás quando assinalamos o caráter de concorrência no tocante à educação dispensada aos filhos.

Freud sintetizou essa tensão em uma das mais belas imagens sobre a educação. Na conferência "Explicações, aplicações e orientações" compara o desafio do educador àquele do navegador que, devendo continuar em sua rota, driblando as intempéries que surgem, encontra-se na difícil decisão sobre o melhor caminho a escolher. Para fugir do perigo de Cila, monstro marinho que exige vítimas em sacrifício, deve passar mais ao largo de sua morada, fato que implica se aproximar, com riscos, da casa de Caribde, outra ameaça marinha de porte. Se se afasta de Cila, aproxima-se de Caribde, igualmente temível. Não há como evitar ambos conciliatoriamente, porque os dois estão em lugares opostos e, portanto, polarizados. Da mesma forma, a tarefa educativa está, inelutavelmente, atrelada a uma situação *dilemática.*

Nem toda discussão pedagógica desenvolvida ao longo dos séculos foi capaz de resolver os dilemas que continuam atormentando os educadores no que diz respeito às finalidades da educação: educar para desenvolver talentos pessoais ou para contemplar necessidades sociais? Devemos desenvolver uma educação voltada para uma visão universal ou devemos educar na direção específica de uma dada profissão? Devemos flexibilizar o currículo na direção de viabilizar a inclusão de todos ou garantir seus pressupostos para manter o nível de qualidade?

Se me inclino para o Cila dos talentos pessoais, afasto-me do Caribde das necessidades sociais, e vice-versa. Não há expectativa aqui de solução conciliatória, embora, com frequência, o discurso pedagógico se empenhe na busca de uma *justa medida*. Mas se esse discurso rateia na solução de tais impasses é devido à sua insolubilidade, e não a uma deficiência qualquer em sua orientação.

Em Freud essa polarização apareceu sob a fórmula de neurose *versus* perversão. Em termos simples, trata-se de considerar que uma educação liberal *demais* pode conduzir à perversão; e repressora *demais*, à neurose. Na Introdução escrita para o livro *O método psicanalítico*, do pastor e educador Oskar Pfister, primeiro teórico da interseção psicanálise/educação, Freud declara, ainda nos termos de uma educação de caráter preventivo, que a educação deveria funcionar como uma profilaxia cuja função seria a prevenção contra ambas as saídas: a neurose e a perversão. Como se vê, Freud promulga aqui uma finalidade para a educação que também segue a linha da busca da *justa medida*.

Ele deambula por algum tempo tentando conciliar as exigências *ego-ístas* do indivíduo e as renúncias impostas pelo *viver-com* da civilização, e imagina encontrar na educação as condições instrumentais para realizar essa conciliação. Até admitir, em particular em *O mal-estar na cultura*, que esta é impossível. No fundo, qualquer finalidade estabelecida para a educação será problemática enquanto a educação carregar em si a marca de um dilema que não é outro senão aquele que existe entre o indivíduo e a civilização.

De fato, a questão da justa medida, ou seja, a tentativa de *dialetizar o dilema*, é uma tensão constante no campo educativo. Em que pesem às observações freudianas, os educadores continuam a se demandar uma solução conciliatória. E o que a metáfora de Cila e de Caribde indica é que Freud deixou de apostar na possibilidade da justa medida, ou, no mínimo, que começou a considerá-la problemática. Isso porque, à luz da psicanálise, a justa medida almeja elidir o caráter conflituoso, substituindo-o por uma certeza que deveria funcionar como solução ideal em qualquer ocasião.

Esse caráter conflituoso, expressão direta de uma dinâmica pulsional e desejante paradoxal, é, no entanto, aos olhos da psicanálise, inerente à experiência humana, e por isso segue sendo ineludível, marcando cada situação com um tensionamento que exige uma decisão da qual é possível sempre se arrepender.

O problema do conhecimento sobre a criança

Desde Rousseau, a quem devemos, na modernidade, o início da preocupação sobre como conduzir a criança a bom termo através da educação, pergunta-se sobre a adequação dos meios que colocamos em jogo em nossa ação educativa. Com o psicólogo suíço Édouard Claparède, no início do século passado, essa preocupação ganharia contornos de problema capital para a pedagogia. "Trabalhamos com a criança sem conhecê-la ... tal é nossa falta capital", diria ele em *Psicologia da criança e pedagogia experimental.*

Assim, conhecer a criança adequando nossa ação ao que agora sabemos dela torna-se uma paixão que anima o espírito pedagógico. Calibrar a atividade que lhe será proposta segundo o seu estágio de desenvolvimento, privilegiar recursos didáticos que envolvam seus interesses e traços culturais são exemplos recentes dessa perspectiva de adequação.

Na busca desse saber referencial *sobre* a criança, o interesse se aporta sobre as ciências do homem. Nelas se espera obter o conhecimento que permitiria encontrar os meios adequados para a ação educativa, numa fórmula que inclui, de um lado, *o que a criança é*, e, de outro, como *devo eu, educador, ser.*

Para sermos mais precisos, é normalmente sob a lente do que a criança *não é ainda* que esse conhecimento costuma se constituir. O próprio termo latino *infans*, do qual se origina a palavra "infância", indica "aquele que não fala", e os termos "menino" ou "menina" provêm do radical também latino *menos.* Ou seja, a criança aparece como um corolário de lacunas a serem reparadas.

Na direção do bom cumprimento dessa tarefa de suprir as lacunas da criança em desenvolvimento, acostumamo-nos a buscar no conhecimento científico a medida exata de nossa ação, criando essa espécie de mito moderno da infância em que a criança aparece como "A" criança. Trata-se de uma ideia abstrata construída no cruzamento do que as várias ciências puderam concluir a respeito de seu funcionamento. O contato com as crianças passa então a ser mediado pel'A criança. Com isso supomos poder nos orientar melhor em relação a elas.

Sobre esse ponto a psicanálise fará uma advertência importante. Em "O interesse científico da psicanálise", Freud dirá: "Não se pode ser educador se não se é capaz de participar da vida psíquica da criança, e se não as compreendemos, nós, os adultos, é porque não compreendemos mais nossa própria infância." Com essa observação ele busca evidenciar que a ignorância do adulto sobre a criança é essencialmente da ordem do recalque que todo adulto realiza da própria infância. Não se trata, portanto, de uma falta de conhecimento, que seria contornada com uma melhor compreensão teórica sobre a criança, mas da instalação de um processo defensivo que implica um *não saber ativo* e que dificulta um estar com a criança. A ignorância aqui, longe de ser uma falta, uma disfunção, tem uma função, conforme sugere o inspirado título do livro *A função da ignorância*, de autoria da psicóloga argentina Sara Pain, pioneira da discussão sobre os problemas da aprendizagem.

Mais do que ignorância sobre a criança, instala-se também, em geral, uma perseguição, apontada por Freud em "Algumas lições elementares de psicanálise", uma vez que a criança escancara a mesma sexualidade que o adulto se esforça, ininterruptamente, para recalcar em si mesmo. O adulto fica estrangeiro da infância e dirige ao outro, que na verdade só se distingue dele por uma mínima diferença, a hostilidade que visa afirmar a própria decisão sintomática.

Esse mecanismo também explicaria o excesso, tantas vezes salientado por Freud, das tendências repressoras dos adultos para com as crianças. Desproporcional em relação às reais necessidades educativas, o excesso de repressão seria uma expressão direta da hostilidade do adulto diante do fato de a criança lhe lembrar as próprias renúncias. Por isso ela é punida, por demonstrar maior liberdade para agir em conformidade com o que lhe traz prazer.

Talvez pudéssemos pensar, sem risco de exagero, que todo conhecimento erigido pelas ciências do homem sobre a criança substitui, modernamente, o espaço ocupado na época de Freud pela moral religiosa, que dava os meios para que esse excesso de repressão se realizasse. Afinal, trata-se de um conhecimento *sobre* a criança, quer dizer, *por cima dela*, a despeito dela.

Encontramos a prova mais clara da plausibilidade de tal consideração na descrição da criança veiculada por esse tipo de conhecimento como sendo o corolário de lacunas a serem preenchidas. Preenchidas, é claro, pelos esforços educativos dos adultos que não estariam senão preocupados com o pleno desenvolvimento da criança.

De todo modo, Freud parece condenar qualquer ilusão de um saber exterior ao sujeito, ainda que não elimine a importância que um dado saber referencial pode representar. Este não poderia, entretanto, ser veiculado sem que contasse, em sua execução, com o peso de uma interpretação, sempre particular, de sua significação. Desde que haja relação com o outro estou inelutavelmente remetido a mim mesmo. Nenhuma ilusão de saber exterior, objetivo, pode colmatar essa implicação subjetiva.

No saber objetivo que se estabelece sobre a criança sou parte integrante dele. Quando acredito revelá-la, numa descrição que faço dela, é também a mim que revelo. Eis aqui o modo pelo qual Lacan sempre insistiu em declarar a tendência da ciência de foracluir o sujeito, tendo cabido à psicanálise, historicamente, devolvê-lo à cena da qual foi expulso.

Seria também Lacan a apontar para o risco contido no furor de compreensão. Em *O Seminário*, livro 1, *Os escritos técnicos de Freud*, ele diz: "Quantas vezes já não fiz observar aos que supervisiono – quando me dizem: acreditei compreender o que ele quis dizer aqui e ali – que uma das coisas contra as quais mais devemos nos guardar é de muito compreender, compreender mais do que há no discurso do sujeito."

A razão para isso pode ser entendida facilmente examinando a própria construção da palavra "compreender": *com-preender*. Quer dizer, "prender" implica um ato de aprisionar, de cativar o outro, o que resulta sempre num certo apagamento do que o outro diz a fim de que o que sei dele – e que me reafirma narcisicamente – não se abale.

Donde um paradoxo funesto para o educador: quanto mais aumenta esse gênero de conhecimento sobre a criança, menos apto ele está a escutar o que ela diz e, consequentemente, mais longe de tomar uma decisão em sintonia com o que exige cada situação envolvendo a criança.

Além disso, a multiplicação dos conhecimentos sobre a criança torna o processo educativo cada vez mais complexo e de difícil operacionalidade, aprofundando, paradoxalmente, a angústia derivada da ignorância que temos da criança. Essa multiplicação dos conhecimentos, aliás, caminha a tal ponto que nos leva a evocar a também célebre anedota contada sobre a centopeia, à qual é perguntado, diante do espanto que suas múltiplas pernas causa, como ela pode saber com que perna deve dar o próximo passo. Consta que, depois dessa pergunta, a centopeia nunca mais andou.

A psicanálise insiste em mostrar as armadilhas que um saber do tipo universitário (tendente à generalização e supressor da particularidade), em que pese sua inegável utilidade, pode conter, sobretudo quando o supomos automaticamente transformável em saber fazer.

Na fala de Freud sobre a dificuldade do adulto de compreender a infância (p.42), fica claro o que ele considerava como a saída possível para que ao menos se contorne essa ignorância sobre a criança: participar da vida dela. Ou seja, trata-se mais de estar com ela do que saber sobre ela. Independentemente do método escolhido, a condução metodológica do trabalho educativo fica, portanto, condicionada a algo extrametodológico: o (des)encontro com a criança.

Fazer crescer: educação para a realidade

Toda educação está comprometida com a tarefa de fazer crescer uma criança transformando-a em adulto. Freud se interessou pelo que acontece na infância a partir da compreensão da importância desse período na determinação da neurose nos adultos que analisava. Chegou a recomendar a vários discípulos e colaboradores que observassem as crianças em busca de provas da correção de suas conclusões sobre a infância inferidas da análise de adultos. Ele mesmo fazia isso.

O essencial a se notar, entretanto, é que Freud só pôde extrair conclusões sobre a infância de seus pacientes porque traços dessa infância permaneciam vivos, apesar da distância temporal entre eles e os fatos que os haviam precipitado. Foi esse gênero de constatação que o levou a formular a tese da atemporalidade do inconsciente, que é o mesmo que dizer que, para o inconsciente, a conjugação verbal do tempo não é feita no passado simples, mas no pretérito imperfeito, onde a ação começa num passado distante mas prossegue com seus efeitos no tempo presente e sem indicação de término.

Foi também esse gênero de constatação que o levou a propor a tese de um certo inacabamento da infância esfumaçando a linha demarcatória entre a criança e o adulto, linha que se acreditava poder ser demarcada nitidamente a partir de determinantes biológicos. Freud denominará essa conservação da infância no inconsciente de *infantil*.

De certo modo, a psicanálise acabará compondo, como fez Rousseau, embora por razões diversas e em termos diferentes, um elogio da infância. No lugar do modo pedagógico habitual de considerar a distinção adulto/criança vendo o adulto que há na criança, a psicanálise vai apontar a criança que há no adulto. A célebre frase de que "a criança é o pai do homem", tomada de empréstimo por Freud em "O interesse científico da psicanálise" ao poeta inglês William Wordsworth, resume com precisão a tese psicanalítica.

De modo algum a criança apareceria aos olhos da psicanálise como um corolário de lacunas a serem preenchidas na direção de um adulto ideal, tampouco como deficitária, se comparada ao adulto. Toda a obra da psicanalista francesa Françoise Dolto, militante da causa da infância, é absolutamente fundamental para chancelar essa conclusão freudiana. Dolto é até hoje conhecida por ter desenvolvido a ideia de que a criança deveria ser considerada *à part entière*, termo que indica que ela não deve ser tomada como um ser em formação, mas como um ser já formado, igualável ao adulto em estrutura.

Em *O futuro de uma ilusão*, Freud dirá: "Pense no deplorável contraste que existe entre a inteligência radiante de uma criança sadia e a fraqueza mental de um adulto médio." A maturidade do adulto pode significar empalidecimento de uma condição radiante perdida com a infância, ficando de maneira cabal contestada a ideia de que o adulto é a criança depois de um progresso que teria retificado suas imperfeições. A passagem da infância para a maturidade, parcial e relativamente realizável, implica não apenas aquisições, mas também perdas.

O percurso desde o nascimento até a maturidade, objeto geral da preocupação educativa, será descrito pela psicanálise como necessariamente tortuoso e aberto quanto a seu fim. O termo "destino", preferido por Freud para marcar a característica do processo pulsional (lembremo-nos do artigo "Pulsões e seus destinos"), demonstra bem essa concepção de uma história com o fim em aberto, sujeito a acidentes de percurso. Nenhum saber prévio, instintivo ou da ordem do conhecimento científico, pode garantir acesso a um ponto ideal.

Em Freud, processo educativo e processo civilizatório aparecem como sinônimos. E ele destaca que, antes de criar um determinado tipo de homem, é na própria hominização que a educação encontra sua tarefa mais determinante. Toda vez que avança na discussão sobre o processo civilizatório, Freud extrai consequências imediatas para a educação.

Assim definindo, Freud não faz senão reencontrar uma ideia fundamental para a educação fabulosamente descrita por Hannah Arendt em *Entre o passado e o futuro*: "A essência da educação é a natalidade, é o fato de que seres nascem para o mundo." Um mundo que lhes antecede e cujas coordenadas de modo algum lhes são dadas por algum tipo de saber instintivo. Nisso a educação nada tem a ver com o desenvolvimento, que segue sendo uma noção mais adequada à vida e sua dinâmica do que ao mundo e suas vicissitudes.

A curiosa escolha pelo termo *jardim de infância*, por exemplo, para indicar a primeira escola da criança, que aludiria, a princípio, a uma preferência pela ideia de desenvolvimento, já que insinua uma planta em crescimento, demonstra, antes, que há necessidade de se regar, de se pôr aí a mão humana, sem a qual não se tem um jardim, e sim uma selva.

A educação não se instala num mero prolongamento da vida que ela acolhe, não representa o desabrochar de tendências inerentes a uma suposta *natureza humana*. Trata-se de um processo de inclusão em um mundo que terminará por criar uma *condição humana*, conforme outra expressão consagrada por Hannah Arendt para mostrar que a medida do humano é dada sempre no interior de certas condições. Nunca é demais lembrar, embora a imagem desconcerte alguns, que humano vem de *húmus*, resto de uma operação de metabolização, de transformação. Assim, é preciso processar um humano.

Essa transformação, ou a inclusão em um mundo, supõe uma certa violência primordial, um enquadramento ou assujeitamento a uma ordem específica. Freud declarará, em vários momentos, o caráter fundamentalmente conservador da educação. Na conferência "Explicações, aplicações e orientações", dirá que "a criança deve aprender ou começar a aprender a controlar suas pulsões e adaptar-se ao meio social … a educação deve inibir, proibir, reprimir, e nisso se esforçou amplamente em todos os tempos".

O que o levara a defender uma educação de tipo liberal começa a relativizar-se à medida que avança na compreensão do fundamento paradoxal do desejo, fato que o inclina muito mais na direção de perceber o caráter adaptativo, característico de toda educação.

No artigo "Sobre a tendência universal à depreciação na esfera do amor", declara, pela primeira vez, sua desconfiança em relação a uma reforma educacional, pelo menos quanto à possibilidade de alteração em sua necessidade de endireitar. A civilização precisa da insatisfação, que acaba sendo seu motor.

O desejo precisa de obstáculo para se desenvolver. Se ele aparece à primeira vista como se opondo à lei, como vendo na lei seu limite, é esse limite que lhe dá o contorno sem o qual não teria forma. O desejo se comporta como a pomba mencionada por Kant em *Crítica da razão pura*. Ela acredita que se não fosse o ar, que lhe opõe uma resistência, voaria mais rápido – esse mesmo ar que a sustenta em seu voo.

Em outra passagem de "Explicações, aplicações e orientações", Freud irá ainda mais longe no teor da afirmação do caráter adaptativo fundamental de toda educação: "A educação psicanalítica estará assumindo uma responsabilidade para a qual não foi convidada se ela tencionar transformar seus discípulos em rebeldes. Ela terá desempenhado seu papel se os tornar tão sadios e eficientes quanto é possível. Penso até mesmo que as crianças revolucionárias não são desejáveis, sob nenhum ponto de vista."

Para entender essa afirmação de Freud, sem enquadrá-lo apressadamente na categoria dos autores reacionários em relação à educação, é preciso compreender que é ao processo de hominização e não de socialização que ele se refere.

Freud não fala de adaptação ao *statu quo* de uma determinada ideologia que presidiria os ideais educativos de uma época, mas da entrada num mundo propriamente humano. É assim que devemos entender a afirmação de que crianças revolucionárias não é algo desejável.

É certo que essa civilização só pode ser erigida sob a forma de colonização, já que o viés introduzido pelo Outro que ampara a pequena cria indefesa, dada a sua imaturidade, depende das particularidades de quem encarna o Outro frente à criança. Sem esses traços iniciais, contudo, conferidos pelo outro, aos quais a criança primeiramente se aliena, não haveria lastro para se separar criando nada de novo. Bem entendido: só há novo por oposição a antigo.

Em Lacan, particularmente em *O Seminário*, livro 11, *Os quatro conceitos fundamentais da psicanálise*, essa dialética da alienação e separação, operações constitutivas do sujeito, ganhará um tratamento teórico aprofundado. Em síntese, caberia admitirmos que não é possível se separar sem antes ter se alienado em algum momento, sendo ilusória, até mesmo desastrosa, a possibilidade de uma evitação da alienação.

No âmbito da afirmação freudiana, uma criança revolucionária (note-se que Freud não se refere a um adulto revolucionário, o qual, provavelmente, ele se inclinaria a defender) equivaleria a uma criança psicótica ou perversa. Seria uma criança que acedeu a uma liberdade em relação à Lei, no sentido mais forte dado ao termo pela psicanálise, ou seja, a lei que rege na linguagem a castração, desembocando, assim, na perversão ou na psicose.

Esse mesmo tipo de preocupação com a finalidade inevitavelmente adaptativa da educação aparece em outra de suas formulações de impacto sobre a educação. Em *O futuro de uma ilusão*, ocupado em fazer a crítica da religião e evidenciar os prejuízos de uma educação excessivamente capturada pelos ideais religiosos, Freud formula a ideia de uma *educação para a realidade*. Expressão que também poderia embutir a ideia de um adaptativismo reacionário da educação ao *statu quo*, que define o que deve ser entendido como realidade num dado contexto histórico. Aqui, como no exemplo anterior, só entendemos a observação freudiana compreendendo que é no esteio do processo civilizatório que ele formula suas teses sobre a educação.

Deve querer dizer alguma coisa o fato de Freud utilizar, nessa expressão, o termo alemão *Realität* para se referir à realidade, no lugar do habitual *Wirklichkeit*, usado para se referir à realidade efetiva da ordem das urgências da necessidade, por exemplo. A realidade a que se refere Freud não é a do *statu quo* e revela pelo menos dois sentidos distintos que ele desenvolverá: ela é o pano de fundo, *a condição sine qua non* que tornará possível a instalação de qualquer ideologia, de direita ou de esquerda; e é também aquela que marcará o lugar da verdade dado pela castração, conferindo uma certa delimitação para os sentidos possíveis e impossíveis no deslizamento da linguagem.

Em "Formulações sobre os dois princípios do funcionamento mental", Freud revelará que sua concepção da realidade é a da realidade psíquica. Extraída como depuração do princípio de prazer, único a reinar soberano no início da constituição do aparelho psíquico, a realidade surge como *pesquisa* da realidade, servindo para encontrar, para além da alucinação, o referente do objeto alucinado pela tendência do princípio de prazer. É como aperfeiçoamento das estratégias do princípio de prazer que se destaca o princípio de realidade.

O seio, alucinado pelo bebê quando da reincidência da fome, não pode satisfazê-lo nem plenamente nem por tempo indeterminado, uma vez que a urgência física da fome terminará por reclamar novamente seu lugar. Torna-se necessário, então, procurar, na realidade, um objeto que melhor satisfaça suas exigências pulsionais. Acontece que esse mesmo princípio, cuja função primordial é servir ao princípio de prazer, traz com ele informações que, a contragosto, obrigam o sujeito a se referir a algo que se lhe opõe.

Em última instância, o Outro é encarnado pela pessoa concreta que se ocupa do bebê, representando essa realidade que se opõe à alucinação do bebê. É, portanto, a uma realidade tecida socialmente, em seu mais íntimo sentido, que Freud está se referindo. Social porque tem como medida o confronto com o Outro, que, se por um lado é aquilo que se opõe ao gozo infinito, sem limites, por outro é aquele que estabelece as condições possíveis de qualquer gozo.

No caminho de se satisfazer, o bebê é levado, inevitavelmente, a se confrontar com o Outro, em relação ao qual deve estabelecer alguns acordos mínimos, sem os quais sua própria satisfação pode ficar ameaçada. Daí a tensão sempre existente, estrutural, apontada inúmeras vezes por Freud, entre o sujeito e a cultura. O sujeito ama a cultura, posto que sem ela não encontraria a medida de sua satisfação, mas a odeia, porque vê nela um limite que impõe regras à sua tendência alucinatória rumo à plena satisfação.

Quanto a essa tensão, nenhuma superação deve, portanto, ser esperada, e caberia à educação estabelecer os termos de um acordo possível, ainda que de equilíbrio precário, fora do qual restaria a barbárie. Para Freud, a barbárie não é um estado superado de uma vez para sempre, por isso, caberia à educação garantir que nenhuma revolução represente um retorno a essa condição.

Educar para a realidade quer dizer, nesse sentido, permitir os tais acordos mínimos que garantem a possibilidade do *estar-com*, para recuperar uma expressão clássica utilizada pelo psicanalista francês Francis Imbert, especialista na discussão sobre psicanálise e educação, e perfeita para indicar aquilo de que se trata. A educação tem sempre a ver com a *comum-unidade*.

Assim, certa coerção é necessária, se não fundamental, para a coletivização que a vida em sociedade exige. Essa coerção foi tematizada por Freud através do mito da horda primeva, em *Totem e tabu*, como aquela força de poder que os irmãos, depois de terem matado o pai opressor – o *ao-menos-um* que podia tudo gozar –, impõem a si mesmos, impedindo que qualquer outro resolva ocupar o lugar de *todo-gozador*, deixado vago pelo pai morto.

No limite, seguindo o desenvolvimento que Lacan deu ao assunto, tornando esse mito uma metáfora que representa bem os acordos necessários impostos pelas leis da linguagem, seríamos conduzidos a perceber que o acordo mínimo pelo qual a educação deve zelar é dado pela própria linguagem.

A realidade que limita o gozo alucinatório, ao qual todos estaríamos condenados caso esse limite não fosse estabelecido, é a linguagem. "A linguagem é autoritária", dirá Barthes, sem despertar maiores reações. Nenhuma revolução educativa desejou contestar a concordância estabelecida pela linguagem para criar a possibilidade de um *senso comum*, ou seja, um laço social.

Aqui chegamos, sem maiores problemas, ao segundo dos sentidos atribuídos por Freud à expressão "educação para a realidade": o de confrontação com a verdade.

Em *O futuro de uma ilusão*, ele se pergunta sobre o desvio que a religião tenta dar à confrontação com essa realidade, a da castração, que fornece a medida de nossa limitação exatamente quando insiste em nos fazer acreditar, como dizem com frequência os que creem, que *tudo posso naquele que me fortalece*. O que Freud combate, particularmente com esse texto, é o sacrifício da inteligência, recurso primeiro do princípio de realidade em prol de uma compensação de caráter alucinatório que viria responder, pela via da ilusão, ao nosso desamparo introduzido pela castração. Não poderíamos viver sem a compensação dada pela ilusão, substituindo-a pelo ganho em intelectualidade advindo daí?

No fundo, Freud está se perguntando se a educação não deveria se incumbir da tarefa de criar homens sãos e trabalhadores não os desviando de sua confrontação com a limitação humana, confrontação que, apesar de seus desvios, a educação não poderá evitar totalmente.

Mas se os anseios de adaptação a acordos mínimos – ou seja, a violência primordial necessária e a coerção das regras da linguagem – são inevitáveis e não poderiam, nem deveriam, ser objeto de nenhuma revolução contra eles, a criança, que é o seu alvo, não se posiciona, por sua vez, docilmente frente a eles. Ela resiste, tentando salvar um mínimo de autonomia; ela luta contra aquilo que a constrange numa dada direção idealizada pelo outro. Do lado dela, joga-se um impossível de adaptação.

O impossível da educação encontra aqui sua face expressamente positiva, quer dizer, é ela que chancela, que ratifica a *liberdade humana*. A educação mais bem-sucedida é a que fracassa, permitindo que a nova geração introduza o novo. Feito Édipo, tal como conta o mito, a criança resiste a cumprir o destino declarado pelo oráculo sem poder evitar um certo fim trágico, que não é outra coisa senão a sina de ter que seguir viagem pela vida sobredeterminada pela herança recebida. A própria figura criada por Freud para caracterizar a criança e sua sexualidade mostra bastante bem a dificuldade que se apresenta aos anseios de adaptá-la: *perverso polimorfo*.

Tanto o termo "polimorfo", que indica uma dispersão em várias direções, como o termo "perverso", que aponta uma tendência desviante em relação àquilo que seria seu fim último, demonstram uma rebeldia a todo esforço de endireitamento.

O modelo encontrado por Freud para descrever o campo pulsional é o da anarquia, que, lembremos, implica ordem sem hierarquia (o senso comum assimila, erroneamente, anarquia a desordem).

Freud chegou a acreditar, à época de seus "Três ensaios sobre a teoria da sexualidade", que essa anarquia da sexualidade infantil poderia encontrar uma hierarquização quando da instalação da pulsão genital, que supostamente realizaria a síntese de todas as outras pulsões na direção da finalidade reprodutiva. Mais tarde, entretanto, deixará de conservar esse entendimento, observando que nenhuma síntese ocorrerá e, portanto, nenhum fim harmonioso. A música tocada pelas pulsões é sempre dissonante.

Por meio de outra bela imagem, Freud comparará, em *O mal-estar na cultura*, essa condição do campo pulsional à topografia de Roma. Nessa cidade, construções de diferentes períodos coexistem, lado a lado, numa certa harmonia que esconde uma história que as separa no tempo. Cada construção foi erguida em ocasiões e contextos diferentes, mas essa história se apaga (se torna inconsciente), restando dela seus resultados, expressos ao mesmo tempo numa bela e anárquica imagem.

Nenhum desenvolvimento resolverá a anarquia das pulsões; ao contrário, é a própria ideia de desenvolvimento que sai comprometida dessa teorização.

Lacan lembrará, em particular em *O Seminário*, livro 11, *Os quatro conceitos fundamentais da psicanálise*, que nada na psicanálise permite tomá-la como tributária de alguma teoria do desenvolvimento, pois o que ela aponta alude à constituição de um sujeito. Portanto, não há fim harmonioso, já que o eu é incapaz de hierarquizar essas pulsões, sempre parciais e que reclamam, cada uma, sua satisfação, promovendo entre si um inevitável conflito.

Mas o golpe final sobre qualquer defesa da ideia de adaptação que se possa atribuir a Freud ocorre quando surge no cenário conceitual a noção de pulsão de morte, elaborada em "Além do princípio de prazer".

Apontemos, de saída, um contraste esclarecedor: toda ideia de adaptação, em última instância, está ligada, como reflexo de sua origem no vocabulário da biologia, à preservação da vida. Como conciliar a ideia de preservação da vida com uma pulsão de morte? Com a formulação do conceito de pulsão de morte, Freud avança em sua compreensão da tensão insuperável entre sujeito e civilização.

Para sempre descontente com as restrições impostas pelo pacto civilizatório ao seu gozo, o sujeito dirige seus impulsos agressivos contra ele. Esse ataque seria a figura maior da pulsão de morte, aqui voltada para o exterior e visando desagregar e dispersar a organização estabelecida. No fim das contas, não tem outro objetivo senão o de construir os meios pelos quais esse mesmo sujeito pode encontrar seu gozo possível.

A pulsão de morte seria a tentativa de manutenção da possibilidade desse gozo pleno (do qual a morte é a figura maior porque representa a ausência de toda tensão), que, como tal, anularia qualquer possibilidade de ordem estabelecida, de regramento social. Se se destruísse o pacto civilizatório se destruiriam, com ele, as condições do próprio gozo.

A civilização se defende desse ataque pela formação do superego, instância que reflete, entre outras coisas, a internalização das ameaças da autoridade contra os anseios incestuosos de satisfação e que segue como um aliado importante dos esforços educativos.

Enquanto a pulsão de vida agrega os esforços de impulsionamento do pacto civilizatório em suas constantes novas configurações, a pulsão de morte representa o desejo de retorno a um ponto anterior ao pacto, sem laço social. O sujeito resiste a adaptar-se à vida, ensaiando tentativas de obter para si uma espécie de licença quanto ao pacto que o mantém preso a ela. A educação, ainda que envide esforços de adaptação ao pacto social, encontrará um limite, um *ineducável* instalado no cerne do processo pulsional.

Como se vê, tal concepção de adaptação não pode ser enquadrada facilmente dentro da noção, tantas vezes criticada, de modelagem das potencialidades individuais em prol da manutenção de um *statu quo* que satisfaria os interesses mercadológicos. Ao contrário, na perspectiva psicanalítica, adaptar significa favorecer o progresso do trabalho das pulsões de vida oferecendo as condições para o surgimento de uma realidade compartilhada, imprescindível para a consecução e manutenção da civilização.

De todo modo, face a essa tensão intransponível entre sujeito e civilização, a educação não poderia esperar um fim harmonioso, supondo que as forças para crescer se desenrolam sozinhas ou são mais fortes do que as que buscam a inércia.

Psicanalisar e educar

Como dizíamos na Introdução, para compreender a relação da psicanálise com a educação é importante abordar a torção que este último termo sofre com o avanço da teoria, deslocando o foco de "educação" para "educar". Mudança talvez sutil para alguns, mas de consequências teóricas e práticas fundamentais.

De certo modo, a ideia de um educar como posição discursiva e não como campo de aplicação da psicanálise já estava presente desde os tempos remotos da teorização, o que se comprova pela presença do termo nas definições que Freud dava ao próprio processo de cura. O que não ficava claro eram os limites entre o educar e o psicanalisar, daí a confusão inicial entre essas expressões.

Com a delimitação dessas fronteiras – o que não impede que, na prática, essas posições se alternem desavisadamente –, chega-se a um ganho significativo em termos de operacionalidade. Os próprios psicanalistas, por exemplo, se veem obrigados a considerar a relevância e o impacto das questões do educar em seu processo de formação como psicanalistas, o que de modo algum estariam inclinados a fazer quando a questão se restringia apenas ao processo educativo e, portanto, às crianças.

A opção de considerar o educar uma posição discursiva parece já estar em Freud, ao menos em sua formulação dos três ofícios impossíveis, embora devamos a Lacan, sem dúvida, sua melhor elaboração.

Freud caminhou por muito tempo sobrepondo os registros do analisar e do educar. A ilustração mais evidente disso é que lhe ocorreu definir, de um lado, os fins da análise como pós-educativos; de outro, a educação como profilática e, portanto, com fins médicos.

Em pelo menos quatro momentos bem distintos, ele se pronunciou em termos de "pós-educação" para se referir aos fins da análise, o que indica que essa confusão perseverou, apesar de uma certa evolução da teoria: em "Cinco lições de psicanálise", "Algumas lições elementares de psicanálise", "Introdução a *O método psicanalítico*" e "Prefácio a *Juventude desorientada*". Embaraçado, provavelmente, com os problemas que essa proximidade apresentava, dedicou-se, em outros momentos, a alertar para os riscos de confusão entre os dois registros, alerta que revela, por sua vez, o limite tênue que os separa.

No "Prefácio a *Juventude desorientada*", dirige aos educadores a advertência: "A obra educativa é de natureza particular; não deve ser confundida com os modos de ação da psicanálise e não pode ser substituída por eles. A educação pode recorrer à análise de uma criança a título de técnica auxiliar, mas não equivalente, por razões tanto teóricas quanto práticas."

De fato, uma série de semelhanças entre os objetivos – dominar o princípio de prazer pelo de realidade – e os meios postos em ação – por exemplo, o apoio na dinâmica do amor que se estabelece entre o par (seja o analítico ou o educativo), como forma de possibilitar uma influência sobre o outro – jogaria a favor de uma sobreposição ou confusão entre os registros.

Em Freud, a distinção dos dois registros parece seguir de perto a separação que ele vai realizando entre a intervenção analítica, propriamente dita, e aquela que se apoia no poder sugestivo, registro em que ele segue incluindo o ato educativo. O modelo oferecido para compreender a sugestão é dado por Freud em "Psicologia de grupo e análise do eu", quando ele diz que se me identifico ao ideal do eu de alguém abro a via pela qual esse sujeito, com o qual me identifiquei, pode se transformar em alguém capaz de me influenciar. O educador trabalharia a partir de seu poder sugestivo, servindo como medida de ideal do eu para um educando e servindo-se desse poder para garantir sua influência sobre ele. Daí as ressalvas feitas por Freud aos educadores no sentido de que não cedam à tentação de abusar do orgulho educativo, tão indesejável quanto o orgulho terapêutico, considerado por Freud perigoso para os fins analíticos.

De todo modo, em Freud, a educação se separa da psicanálise no mesmo ponto em que a análise se separa da sugestão. Mas convém ressaltar que ele nunca deixou de considerar que, mesmo no trabalho analítico, um resto do poder sugestionador se mantém: é a transferência. Mais uma vez o esforço de distinguir revela a proximidade insuperável.

No campo prático, essa mesma querela entre educação e análise sustentou um debate que implicou uma divisão em escolas de pensamento cujos ecos se fazem sentir até hoje. A conhecida polêmica entre Melanie Klein e Anna Freud se desenrolou, no tocante ao plano teórico, fundamentalmente em torno dessa consideração sobre a imbricação do educar e do analisar na análise de crianças. De fato, tratando-se de crianças, a questão se torna mais espinhosa porque essas dimensões do educar e do analisar encontram uma realidade mais afeita à confusão.

A posição de Anna Freud pendia para o registro do educar, apontando o inacabamento do processo constitutivo que caracteriza a criança, que, portanto, resta imersa sob a influência do poder educativo, do qual, em certa medida, o analista não consegue se furtar a exercer. A posição kleiniana, por sua vez, indicava que uma criança já pode ser tomada em análise exclusivamente, sem que haja confusão com o processo educativo que a insere numa cena com os pais.

Toda essa história de colisões e confusões acerca da diferença entre os registros do educar e do analisar, embora tenha se acomodado com a enunciação das fronteiras que marcam a diferença de posição, não deixa de manter sua atualidade. Atualidade que, aliás, parece que será mantida para todo o sempre, uma vez que não foi casual esses registros aparecerem tão próximos no início da teorização psicanalítica.

Com a escrita dos discursos, em *O Seminário*, livro 17, *O avesso da psicanálise*, Lacan deixará claro que apenas um quarto de giro separa as posições do mestre, do universitário e do psicanalista, que retomam, de certo modo, respectivamente, as posições do governar, do educar e do psicanalisar. E ele acrescenta uma quarta posição, a da histérica, que consistiria num impossível se fazer desejar. As primeiras tentações que um analista encontra para desviar-se de seu ato clínico advêm justamente da posição de educar e da de governar seu paciente.

No artigo "A direção do tratamento e os princípios de seu poder", Lacan indicará o vício através do qual essas duas posições reaparecem no cenário do trabalho analítico: quando o analista pretende *conduzir o analisando* e não o tratamento, ele governa; e quando pretende que o analisando se *identifique com o sintoma de seu analista*, ele educa. O fio da navalha que distingue seu ato passa por uma difícil posição de *conduzir o tratamento* para que o analisando se *identifique com o próprio sintoma.*

Em ambos os casos, seja com relação ao educar ou ao governar, Lacan não faz senão retomar a ideia freudiana de que o que distingue esses dois registros do analítico é sua relação com a sugestão.

Haveria no registro analítico uma recusa em se valer do poder atribuído pela transferência para conduzir o sujeito em direção a qualquer ideal, sendo recomendado antes que o uso dessa transferência – inevitável, posto que ela se instala a partir do analisando na cena da análise, e desejável, porquanto uma vez instalada permite o acesso ao seu inconsciente – vise à destituição do poder sobre o outro.

A análise seria a única instituição que almeja extinguir-se em seu final, e a transferência, inicialmente um veículo de poder, deveria ser usada como instrumento para a destituição deste. Já no educar, assim como no governar, o trabalho dependeria do uso desse poder para viabilizar seus processos.

Normalmente, quando se trata de considerar as relações entre psicanálise e educação, recorre-se à obra de Freud como se somente ela, por tratar explicitamente do assunto, contivesse um material passível de análise.

Decerto que a posição freudiana sobre o assunto é fundamental pelo que trouxe à tona quanto às coordenadas dessa relação, no entanto, recorrer a ela não deve significar deixar de lado o estudo da continuidade da investigação que se processou depois dele. Freud, aliás, nunca cessou de declarar que sua contribuição nesse campo era modesta, dada a sua ignorância sobre o tema. Declarava também que esperava muito do que os colaboradores educadores pudessem trazer para o campo da psicanálise ao se interessarem por ela.

Quando alinha educar, psicanalisar e governar como impossíveis, Freud reconhece que, apesar de serem práticas distintas, há entre essas ações um parentesco.

Contribuições de Lacan

A ideia de parentesco entre a prática do educar, do psicanalisar e do governar retorna de forma inusitada com Lacan, que dá grande destaque à questão da formação e da instituição analítica. Os incidentes particulares que o levaram a ser renegado pela Sociedade Psicanalítica de Paris (IPA), fundada por Freud, motivaram-no a responder criticamente a essa instituição, inclusive repensando como deve ser uma instituição para a psicanálise (governar) e como deve ser uma formação que produza um analista (educar).

A presença em sua obra de termos como escola, ensino, transmissão, discurso universitário, análise didática (ainda que se refira ao termo "didática" para dele se afastar), além de propostas como a criação de cartéis e de seminários, não deixa dúvida de que nesse autor, ainda que não de forma explícita, como em Freud, o tema do educar adquire uma importância capital. E o fato de a questão da formação dos psicanalistas aparecer sempre imbricada à da instituição que a viabiliza também constitui um importante indício da inexorável relação, do ponto de vista de Lacan, entre os registros do governar, do educar e do psicanalisar.

Decerto que teríamos de reconhecer certas nuances particulares, pois não se trata aqui do processo de introduzir uma criança no mundo, e sim da formação de adultos que formulam o desejo de se tornarem analistas. Contudo, a preocupação de Lacan de evitar a formação do que considerava um "analista-tipo", ou seja, uma caricatura mal-acabada, produto de uma identificação maciça a um mestre – o que considerava típico da instituição oficial de psicanálise, a IPA –, reflete a mesma preocupação de todo bom educador: formar sem conformar.

O analista-tipo representaria, segundo Lacan, um contrassenso à tarefa do analista, cuja formação deveria, ao contrário, prepará-lo, como salientava Freud em "Recomendações aos médicos que exercem a psicanálise", para recriar a psicanálise com cada paciente. Se o educar supõe, como dizia Freud, uma passagem inevitável pela identificação com um mestre, sua advertência contra o orgulho educativo vem lembrar quanto essa tarefa comporta de favorecimento à autonomia. Mais ainda, à autoria, derivativo poucas vezes mencionado em sua relação com o termo *autor-ização*, emblemático na frase lacaniana "O analista se autoriza por si mesmo e por outros".

Como já dito anteriormente, um bom mestre é aquele que permite que o discípulo o supere, não tanto no sentido de chegar mais longe que ele, mas de não ver mais nele a medida da condição ideal. Esse efeito de superação, essa passagem, Lacan ressalta como crucial em uma formação que leva, no final, alguém a se autorizar como analista.

A questão típica da educação, a de que ela não pode evitar as diferenças entre as gerações, também se insere no campo da formação dos analistas. Há sempre os que estão chegando, e portanto em posição formativa diferente dos que já estavam aí há mais tempo. Mesmo tratando-se de adultos, a posição diante do conhecimento estabelece uma diferença de *gradus* passível de gerar um efeito de *hierarquia* que Lacan empenhava-se em evitar. É sempre tentando combater a relação de mestria, que estabelece o par mestre/escravo e todo o corolário de impasses que este supõe, que Lacan procurava construir sua proposta de formação.

As dificuldades para pô-la em prática foram enfrentadas através de várias elaborações teóricas e sugestões de procedimentos institucionais. Uma delas era a criação do cartel, dispositivo de trabalho em grupo concebido justamente para evitar que a adesão identificatória a um mestre obstruísse o caminho da apropriação teórica.

De acordo com Lacan, o lugar de mestria deve ser sistematicamente explodido onde quer que insista em aparecer, seja na relação analítica, seja nas supervisões clínicas, seja no trabalho em grupo para o estudo teórico, já que o reconhece como fonte de uma alienação indesejável, paralisante, do processo formativo. Como se vê, Lacan colocava em curso os elementos fornecidos por Freud em sua reflexão sobre a educação na direção de pensar de maneira consequente, a partir da teoria, o que vem a ser uma formação.

No fundo, o dilema que se apresentava a Lacan não era diferente em sua essência daquele que define toda educação, e cuja solução é impossível: como atingir o bom termo entre unificar sem aniquilar as diferenças e permitir as diferenças sem que isso ameace a conservação de um mínimo solo comum? Lacan retomava, assim, a dilemática declarada por Hannah Arendt como característica de toda educação: esta deve proteger a criança do mundo e o mundo da criança.

Como no processo de análise, durante a sua formação o analista também é convidado a não aderir demasiadamente a uma identificação que o paralise, devendo, ao contrário, buscar um estilo próprio, único, legítimo, que vá além de qualquer mimese do outro, conforme a célebre frase dita por Lacan: "Façam como eu, não me imitem."

Essa relação intrínseca entre instituição e formação, traçada desde o reconhecimento de que uma instituição destinada à formação pode chegar a funcionar, paradoxalmente, como obstáculo a essa formação, é retomada pela psicanalista francesa Maud Mannoni em sua experiência na construção da Escola Experimental de Bonneuil-sur-Marne. No livro *Educação impossível* ela formula o conceito de *instituição explodida* para falar desse processo constante de revisão e relativização das rotinas institucionais, a fim de que elas não se cristalizem, tornando-se um obstáculo aos objetivos institucionais. Trata-se, à semelhança da experiência analítica, de manter, entre os que atuam na instituição, a capacidade de interrogação que só o inesperado de uma prática viva e não modelar pode fornecer.

Confere, no fundo, com os esforços de Lacan acerca do problema de como driblar os efeitos de mestria embutidos em toda instituição. A ideia que tinha de que os grupos deveriam se dissolver de tempos em tempos, para evitar o efeito de cola, parece estar no mesmo horizonte que anima a ideia de instituição explodida. Não se trata aqui, portanto, do reformismo típico das instituições em geral, como no emblemático exemplo das escolas públicas, promovido, nesse caso, pelas próprias estratégias de mestria visando à instalação de uma nova ordem. Mas de um reformismo vigilante que não se engane com as divagações de que haveria uma dada ordem melhor do que outra, mais libertária.

Será também nesse livro que Mannoni retomará uma distinção fundamental, sem a qual o educar fica condenado a ser identificado com o chamado discurso universitário e as mazelas da alienação, normalmente atribuídas a ele. O educar tem a ver com a transmissão de um traço simbólico de filiação, de uma marca que permite a um sujeito, primeiro, se erigir como sujeito, o que é diferente, portanto, da limitada configuração biológica com a qual precariamente nasceu (hominização). Depois, diferenciar-se do outro que lhe rendeu os primeiros meios de entrada no mundo (singularização). E, por último, encontrar seu lugar no meio de outros com os quais terá que administrar sua diferença (socialização).

Nesse sentido, o educar apareceria mais bem-definido como uma faceta do discurso do mestre, instalador de uma ordem que promove laço social, ou, se quisermos, para retomar a forma freudiana de abordar o assunto, como sinônimo de processo civilizatório. Daí sua imbricação com o governar, tão característica, por exemplo, do pensamento de Durkheim, o pai da sociologia - um autor clássico também no campo da pedagogia.

O que deve ser assimilado ao discurso universitário, no tocante à tendência deste de tomar o outro como objeto de um saber universal, estabelecido como lei geral de um funcionamento em relação ao qual esse outro será capturado, é a pedagogia. Uma assimilação imediata da educação com a pedagogia resulta desastrosa, já que nega a diferença essencial de suas posições discursivas.

Em sua escola, Mannoni suspendeu o que chama de "banhos de tratamento", ou seja, os múltiplos tratamentos que as crianças tendem a receber em função de suas supostas falhas localizáveis pelo discurso científico, por acreditar que apenas sem eles poderia oferecer-lhes educação. Nesse sentido, a educação é aquilo que se dá quando não se está tratando. A pedagogia funcionaria como equivalente aos banhos de tratamento, uma vez que é em seu interior que se estabelecem as regularidades normativas consolidadas pelo discurso científico sobre a criança, como já visto.

Examinando a educação recebida por Schreber (psicótico cuja trajetória é analisada por Freud em "Notas psicanalíticas sobre um relato autobiográfico de um caso de paranoia"), idealizada pelo próprio pai, médico e pedagogo respeitado em sua época, Mannoni afirma que a insistência desse pai na adequação da criança a certas normas científicas, consideradas então fundamentais para um bom processo educativo, teria sido decisiva para a instalação do quadro psicótico do filho. Em outras palavras, foi por tomá-lo demasiadamente como objeto de um saber que essa educação não permitiu a Schreber a saída de uma posição alienante.

Parafraseando Freud, que dizia que se deve proteger a psicanálise da religião e da medicina, poderíamos afirmar que a psicanálise oferece os instrumentos para se proteger a educação da religião (tarefa da qual Freud em grande parte se incumbiu) e da ciência (tarefa que nós, mais do que Freud, estaríamos inclinados a conduzir).

É por isso que a psicanálise não pode oferecer à pedagogia nenhuma metodologia. Pois é pelo avesso que ela a toma. Em francês, o termo "avesso" conserva uma homofonia muito explorada por Lacan: *envers* quer dizer "avesso", e *en-vers* tem a ver com "verdade". É uma ambição da psicanálise poder dizer algo sobre a verdade da pedagogia enquanto representante do discurso científico na educação: lembrar-lhe, talvez, da particular exclusão do sujeito realizada pela pedagogia e que se mantém recalcada.

A ambição e o esforço da pedagogia de organizar um ato cientificamente balizado, a partir de todo o conhecimento erigido sobre a criança e o ato educativo, não deveria levá-la a inviabilizar o ato educativo. Este – e é isso que lembra a psicanálise – se inscreve sempre numa impossível equação entre um adulto, que espera ver reproduzida no outro uma ordem que ele representa e ama, apesar de tudo, e uma criança que resiste a ser mero objeto dessa investida educativa, que a anularia num nível absolutamente decisivo para sua vida, se bem-sucedida.

Referências e fontes

Todos os textos de Freud consultados e citados constam da *Edição Standard Brasileira das obras psicológicas completas de Sigmund Freud* (*ESB*) (Rio de Janeiro, Imago, 1996). A seguir, as referências bibliográficas dos livros e artigos mencionados, na ordem em que aparecem em cada seção:

Introdução

Jacques Lacan, *O Seminário*, livro 17, *O avesso da psicanálise* (Rio de Janeiro, Zahar, 1992); Jean-Jacques Rousseau, *Emílio ou Da educação* (São Paulo, Martins Fontes, 2004); a citação de Sigmund Freud foi extraída de "Prefácio a *Juventude desorientada*" (1925), in *ESB*, vol.XIX, p.307; Jacques Lacan, "A direção do tratamento e os princípios de seu poder", in *Escritos* (Rio de Janeiro, Zahar, 1998).

Uma educação virtuosa: a impotência de um modelo educativo

Todas as obras mencionadas nessa seção são de Sigmund Freud: "Moral sexual 'civilizada' e doença nervosa moderna"

(1908), in *ESB*, vol.IX; *A interpretação dos sonhos* (1900), in *ESB*, vol.IV; "Projeto de uma psicologia científica" (1950, [1895]), in *ESB*, vol.I; "O esclarecimento sexual das crianças" (1907), in *ESB*, vol.IX; "Sobre as teorias sexuais das crianças" (1908), in *ESB*, vol.IX; "Moral sexual 'civilizada' e doença nervosa moderna", op.cit.; *Novas conferências introdutórias à psicanálise* (1933, [1932]), conferência XXXV: "A questão de uma *Weltanschauung*", in *ESB*, vol.XXII; *Novas conferências introdutórias à psicanálise* (1933, [1932]), conferência XXXIV: "Explicações, aplicações e orientações", in *ESB*, vol.XXII; "O esclarecimento sexual das crianças", op.cit.; "Cinco lições de psicanálise" (1910, [1909]), in *ESB*, vol.XI; "Prefácio a *Juventude desorientada*" (1925), in *ESB*, vol.XIX; "Análise terminável e interminável" (1937), in *ESB*, vol.XXIII, p.250.

As faces do impossível

A citação de Sigmund Freud no início dessa seção foi extraída de "Prefácio a *Juventude desorientada*" (1925), in *ESB*, vol.XIX, p.307; Immanuel Kant, *Crítica da razão pura*, in *A obra-prima de cada autor* (Série Ouro, vol.3, São Paulo, Martin Claret, 2003).

A impossível mestria

São citadas as seguintes obras de Freud: *Novas conferências introdutórias à psicanálise* (1933, [1932]), conferência

XXXIV: "Explicações, aplicações e orientações", in *ESB*, vol.XXII; "Sobre o narcisismo: Uma introdução" (1914), in *ESB*, vol.XIV; "Algumas reflexões sobre a psicologia do escolar" (1914), in *ESB*, vol.XIII; "Sobre a história do movimento psicanalítico" (1914), in *ESB*, vol.XIV; *Totem e tabu* (1913, [1912-13]), in *ESB*, vol.XIII, p.160.

Antes de mencionar *Totem e tabu* pela primeira vez, o autor faz referência a: Jacques Lacan, "A direção do tratamento e os princípios de seu poder", in *Escritos* (Rio de Janeiro, Zahar, 1998).

Entre Cila e Caribde

São mencionadas três obras de Sigmund Freud: *Novas conferências introdutórias à psicanálise* (1933, [1932]), conferência XXXIV: "Explicações, aplicações e orientações", in *ESB*, vol.XXII; "Introdução a *O método psicanalítico*" (1913), in *ESB*, vol.XII; *O mal-estar na cultura* (1930, [1929]), in *ESB*, vol.XXI.

O problema do conhecimento sobre a criança

Jean-Jacques Rousseau, *Emílio ou Da educação* (São Paulo, Martins Fontes, 2004); Édouard Claparède, *Psicologia da criança e pedagogia experimental: Introdução, história, problemas, métodos, desenvolvimento mental* (São Paulo, Ed. do Brasil, 1956); Sigmund Freud, "O interesse científico da psicanálise" (1913), in *ESB*, vol.XIII, p.190; Sara Pain, *A função da ignorância* (Porto Alegre, Artes Médicas, 1987); Sigmund Freud, "Algumas lições elementares de psicanálise" (1940, [1938]), in *ESB*, vol.XXIII; Jacques Lacan, *O Seminário*, livro 1, *Os escritos técnicos de Freud* (Rio de Janeiro, Zahar, 2009, p.90).

Fazer crescer: educação para a realidade

Sigmund Freud, "Além do princípio de prazer" (1920), in *ESB*, vol.XVIII; Jean-Jacques Rousseau, *Emílio ou Da educação* (São Paulo, Martins Fontes, 2004). Em seguida, são mencionadas três obras de Sigmund Freud: "O interesse científico da psicanálise" (1913), in *ESB*, vol.XIII, p.185; *O futuro de uma ilusão* (1927), in *ESB*, vol.XXI, p.55; e "Pulsões e seus destinos" (1915), in *ESB*, vol.XIV.

Em seguida, o autor faz referência a Hannah Arendt, "A crise na educação", in *Entre o passado e o futuro* (São Paulo, Perspectiva, 2003, p.223); e a outras duas obras de Sigmund Freud: *Novas conferências introdutórias à psicanálise* (1933, [1932]), conferência XXXIV: "Explicações, aplicações e orientações", in *ESB*, vol.XXII, p.147; e "Sobre a tendência universal à depreciação na esfera do amor (Contribuições à psicologia do amor II)" (1910), in *ESB*, vol.XI.

Immanuel Kant, *Crítica da razão pura*, in *A obra-prima de cada autor* (Série Ouro, vol.3, São Paulo, Martin Claret, 2003); Sigmund Freud, *Novas conferências introdutórias à psicanálise* (1933, [1932]), conferência XXXIV: "Explicações, aplicações e orientações", ibid., p.149; Jacques Lacan, *O Seminário*, livro 11, *Os quatro conceitos fundamentais da psicanálise* (Rio de Janeiro, Zahar, 1990).

São citadas mais duas obras de Sigmund Freud seguidamente: *O futuro de uma ilusão*, op.cit.; e "Formulações sobre os dois princípios do funcionamento mental" (1911), in *ESB*, vol.XII.

Francis Imbert, *Vers une clinique du pédagogique: Un itinéraire en sciences de l'éducation* (Vigneux, Matrice, 1992); Sigmund Freud, *Totem e tabu* (1913, [1912-13]), in *ESB*, vol.XIII; Roland Barthes, *Aula inaugural da cadeira de semiologia literária do Colégio de França, pronunciada no dia 7 de janeiro de 1977* (São Paulo, Cultrix, 2007, p.12).

Mais três obras de Sigmund Freud: *O futuro de uma ilusão*, op.cit.; "Três ensaios sobre a teoria da sexualidade" (1905), in *ESB*, vol.VII; e *O mal-estar na cultura* (1930, [1929]), in *ESB*, vol.XXI. E finalizando: Jacques Lacan, *O Seminário*, livro 11, *Os quatro conceitos fundamentais da psicanálise*, op.cit.; e Sigmund Freud, "Além do princípio de prazer" (1920), in *ESB*, vol.XVIII.

Psicanalisar e educar

Nessa seção, o texto de Jacques Lacan "Proposição sobre o psicanalista da escola", in *Outros escritos* (Rio de Janeiro, Zahar, 2003), foi utilizado como referência constante, embora não citado diretamente.

De Sigmund Freud foram citados, em sequência: "Cinco lições de psicanálise" (1910, [1909]), in *ESB*, vol.XI; "Algumas lições elementares de psicanálise" (1940, [1938]), in *ESB*, vol.XXIII; "Introdução a *O método psicanalítico*" (1913), in *ESB*, vol.XII; "Prefácio a *Juventude desorientada*" (1925), in *ESB*, vol.XIX, p.308; "Psicologia de grupo e análise do eu" (1921), in *ESB*, vol.XVIII.

De Jacques Lacan foram mencionados ainda: *O Seminário*, livro 17, *O avesso da psicanálise* (Rio de Janeiro, Zahar, 1992); e "A direção do tratamento e os princípios de seu poder", in *Escritos* (Rio de Janeiro, Zahar, 1998).

Contribuições de Lacan

Sigmund Freud, "Recomendações aos médicos que exercem a psicanálise" (1912), in *ESB*, vol.XII; a frase "O analista se autoriza por si mesmo e por outros" encontra-se em Jacques Lacan, *Seminário XXI* (1973-74), "Les non-dupes errent", lição de 9 abr 1974, inédito. Já a frase "Façam como eu, não me imitem", encontra-se em Jacques Lacan, *Actas de la escuela francesa de Paris* (Barcelona, Ediciones Petriel, 1980, p.165).

E finalizando: Maud Mannoni, *Educação impossível* (Rio de Janeiro, Francisco Alves, 1988); Sigmund Freud, "Notas psicanalíticas sobre um relato autobiográfico de um caso de paranoia", in *ESB*, vol.XII.

Leituras recomendadas

Para o leitor que deseja aprofundar-se na discussão sobre as modalidades da relação da psicanálise com a educação, sugiro a leitura de duas obras que representam duas posições contrárias refletidas nos próprios títulos: *Freud antipedagogo*, de Catherine Millot (Rio de Janeiro, Zahar, 1987), e *Freud pédagogue?*, de Mireille Cifali (Paris, InterEditions, 1982), este último sem tradução em português ainda. No primeiro livro o leitor encontrará um rigoroso resgate da trama dos conceitos freudianos em torno do tema educação. No segundo, um debate crítico da ideia de "aplicação" da psicanálise à educação, passando por uma série de textos de Freud e de fragmentos de sua correspondência que servem à autora para "interpretar" a posição freudiana diante da educação separando-a da posição da psicanálise.

Outro excelente resgate do percurso teórico de Freud em torno do assunto o leitor encontra em *Freud e a educação: O mestre do impossível*, de Maria Cristina M. Kupfer (São Paulo, Scipione, 1989). Como no livro de Millot, há um mapeamento dos ensaios de Freud imprescindíveis sobre a questão da educação. Saliento, ainda, o texto "Psicanálise e pedagogia: sobre considerar o inconsciente no campo pedagógico", de Jean-Claude Filloux – inserido nos *Anais do I Colóquio Lepsi – A psicanálise e os impasses da educação* (São Paulo, Lugar de Vida/Lepsi, 1999) –, cujo mérito é mapear os diversos caminhos de pesquisa no campo da psicanálise e da educação.

No que concerne à interpretação dos impasses da educação atual, sugiro a leitura do livro de Leandro de Lajonquière *A ilusão (psico)pedagógica* (Petrópolis, Vozes, 1999), que apresenta uma abordagem interessante demonstrando como, ao tentarmos escapar da lógica religiosa na educação, desembocamos, desastradamente, na lógica da natureza, do desenvolvimento das potencialidades supostamente naturais.

Nessa mesma direção, o leitor poderá ler com proveito o livro de Calligaris et al., *Educa-se uma criança* (Porto Alegre, Artes e Ofícios, 1994), que traz uma série de artigos empenhados em discutir os ideais da educação atual a partir da psicanálise e os problemas daí derivados.

O livro de Maud Mannoni *Educação impossível* (Rio de Janeiro, Francisco Alves, 1988), já mencionado na seção *Referências e fontes*, é também leitura imprescindível, especialmente por tratar do aspecto institucional da educação, trazendo referências importantes e já bem marcadas pela influência do pensamento lacaniano acerca das questões do educar e seus impasses.

A menção à obra de Françoise Dolto não poderia deixar de figurar no campo dessa discussão, com destaque para a obra *Os caminhos da educação* (São Paulo, Martins Fontes, 1998). Recomendo, ainda, a leitura do livro de Franco Cambi *A história da pedagogia* (São Paulo, Unesp, 1999) aos que se interessam em examinar a história do pensamento pedagógico.

Sobre o autor

Rinaldo Voltolini, psicanalista, é professor da Faculdade de Educação da Universidade de São Paulo (USP). É mestre e doutor em psicologia pelo Instituto de Psicologia da USP (Ipusp), com pós-doutorado em psicogênese e psicopatologia na Universidade de Paris XIII. É um dos coordenadores do Laboratório de Estudos Psicanalíticos da Infância e da Educação (Lepsi) da USP, coeditor da revista *Estilos da Clínica* e membro do Grupo Nacional de Trabalho Psicanálise e Educação da Associação Nacional de Pesquisa e Pós-graduação em Psicologia (Anpepp).

É coautor, entre outros, dos livros *Travessias: Inclusão escolar* (São Paulo, Casa do Psicólogo, 2005) e *Angústia, o afeto que não engana* (Campinas, Mercado de Letras, 2006). É autor do vídeo *Lacan e a educação* (Coleção Pensadores e a Educação, Atta Mídia, 2011). Escreve regularmente artigos sobre psicanálise e educação em revistas especializadas.

Psicanálise **PASSO-A-PASSO**

- **O adolescente e o outro**
  Sonia Alberti
- **Mito e psicanálise**
  Ana Vicentini de Azevedo
- **Sonhos**
  Ana Costa
- **Édipo**
- **Psicanálise com crianças**
  Teresinha Costa
- **Freud: criador da psicanálise**
- **Lacan, o grande freudiano**
  Marco Antonio Coutinho Jorge e Nadiá Paulo Ferreira
- **A sublimação**
  Orlando Cruxên
- **Freud e a religião**
  Sérgio Nazar David
- **O conceito de sujeito**
  Luciano Elia
- **A teoria do amor**
  Nadiá Paulo Ferreira
- **Histeria: o caso Dora**
  Nadiá Paulo Ferreira e Marcus Alexandre Motta
- **A interpretação**
  Laéria Fontenele
- **Freud e a cultura**
  Betty Fuks
- **Política e psicanálise**
  Ricardo Goldenberg
- **A psicose**
  Andréa M.C. Guerra
- **Angústia**
  Sonia Leite
- **Linguagem e psicanálise**
  Leila Longo
- **Para que serve a psicanálise?**
- **A transferência**
  Denise Maurano
- **Depressão e melancolia**
  Urania Tourinho Peres
- **Feminino/masculino**
  Maria Cristina Poli
- **Os outros em Lacan**
  Antonio Quinet
- **A neurose obsessiva**
  Maria Anita Carneiro Ribeiro
- **Cinema, imagem e psicanálise?**
  Tania Rivera
- **Trauma**
  Ana Maria Rudge
- **A paixão**
  Marcus André Vieira
- **Educação e psicanálise**
  Rinaldo Voltolini